하루에 하나씩
읽는 민법조문
물권(V)

하루에 하나씩 읽는 민법조문 물권(V)

초판 _ 2024년 3월 2일

지은이 _ 김민석

디자인 _ **enbergen3@gmail.com**

펴낸이 _ 한건희

펴낸곳 _ 부크크

출판등록 _ 2014.07.15.(제2014-16호)

주소 _ 서울특별시 금천구 가산디지털1로 119 SK트윈타워 A동 305호

전화 _ 1670-8316

이메일 _ **info@bookk.co.kr**

홈페이지 _ **www.bookk.co.kr**

ISBN _ 979-11-410-7381-7

값은 표지에 있습니다.

하루에 하나씩 읽는 민법조문 물권(V)

Contents

Intro

머리말

청룡의 해가 밝았습니다.
지난해「하루에 하나씩 읽는 민법조문」 민법총칙 편의 개정판을 작업한데 이어 올해 물권편도 개정판을 내게 되었습니다.
이번 개정판에서는 그간 아쉬웠던 부분들을 보강하고자 신경썼습니다. 먼저 가독성을 높이기 위해 원고를 대폭 편집했습니다. 디자인도 보다 깔끔하게 변경하였습니다. 불필요하다고 생각되는 설명은 삭제하였습니다. 반면 설명이 필요는 하지만, 본서의 기준으로 보았을 때 다소 복잡한 내용에 관해서는 별도로 〈심화학습〉 코너를 두어 다루었습니다. 무엇보다 독자들에게 오해를 불러일으킬 수 있었던 애매한 표현과 부적절한 설명을 여럿 수정하였습니다. 이 과정에서 책의 분량은 약간 증가하게 되었습니다만, 이전 원고보다 조금이라도 나아진 부분이 있다면 이것은 독자들이 양해하여 주지 않을까 하는 기대를 걸어 봅니다.
책이 나오기까지 우여곡절이 있었습니다. 많은 분들의 지원과 애정이 없었다면 이 작업은 끝내기 어려웠을 것입니다. 무엇보다 항상 곁에서 응원을 아끼지 않았던 아내와 가족에게 감사한 마음뿐입니다.
이 책이 누군가에게 좋은 기억으로 남기를 기원하며 말을 맺습니다.

2024년 2월 김민석 올림.

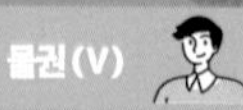

"하루에 하나씩 읽는
민법조문 물권편,
시작합니다."

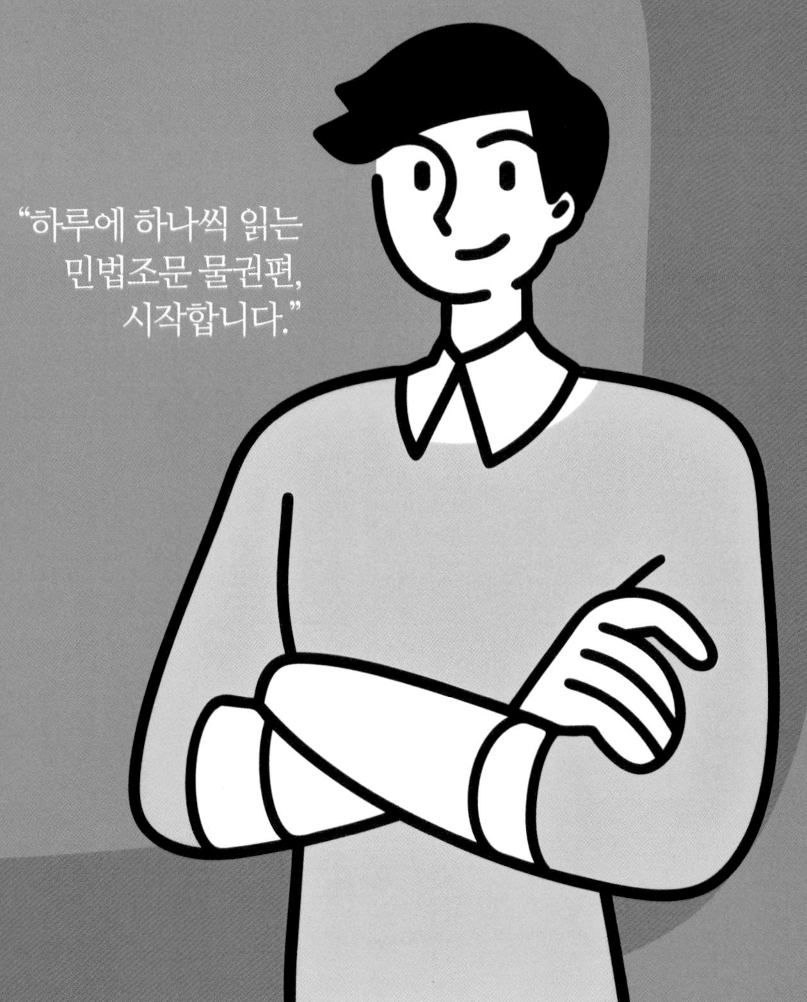

Part 7.

제7장, 유치권

제320조(유치권의 내용)

①타인의 물건 또는 유가증권을 점유한 자는 그 물건이나 유가증권에 관하여 생긴 채권이 변제기에 있는 경우에는 변제를 받을 때까지 그 물건 또는 유가증권을 유치할 권리가 있다.
②전항의 규정은 그 점유가 불법행위로 인한 경우에 적용하지 아니한다.

오늘부터 새로운 장으로 들어갑니다. 제7장, 유치권입니다. 우리는 전에 제279조(지상권의 내용)에서 지상권에 대해 처음 공부하면서, 물권에는 본권과 점유권이 있고, 본권은 소유권과 제한물권으로 구분할 수 있으며, 제한물권 중에는 용익물권과 담보물권이 있다는 것을 살펴보았습니다. 우리가 공부한 지상권과 지역권이 대표적인 용익물권이었지요.

*전세권의 경우, 남의 부동산을 사용, 수익할 수 있다는 점에서 용익물권에 해당하지만, 한편으로는 (전세권자가) 전세금을 못 돌려받는 경우에는 경매를 넘겨버리고 우선변제를 받을 수 있게 하는 특수성이 있어 담보물권으로서의 성질도 함께 있다고 평가됩니다. 우리의 판례 역시 "전세권설정등기를 마친 민법상의 전세권은 그 성질상 용익물권적 성격과 담보물권적 성격을 겸비한 것으로서, 전세권의 존속기간이 만료되면 전세권의 용익물권적 권능은 전세권설정등기의 말소 없이도 당연히 소멸하고 단지 전세금반환채권을 담보하는 담보물권적 권능의 범위 내에서 전세금의 반환시까지 그 전세권설정등기의 효력이 존속

하고 있다 할 것인데, 이와 같이 존속기간의 경과로서 본래의 용익물권적 권능이 소멸하고 담보물권적 권능만 남은 전세권에 대해서도 그 피담보채권인 전세금반환채권과 함께 제3자에게 이를 양도할 수 있다 할 것이지만 이 경우에는 민법 제450조 제2항 소정의 확정일자 있는 증서에 의한 채권양도절차를 거치지 않는 한 위 전세금반환채권의 압류·전부 채권자 등 제3자에게 위 전세보증금반환채권의 양도사실로써 대항할 수 없다."라고 하여, 같은 입장입니다(대법원 2005. 3. 25. 선고 2003다35659 판결).

담보물권이란 사용가치가 아닌, 교환가치를 지배하는 물권이라고 했습니다. 담보물권을 이해하기 위해서는 어느 정도 채권과 담보제도라는 것에 대해 이해할 필요가 있습니다.

채권이란, 채권자가 채무자에 대하여 급부를 청구할 수 있는 권리를 말합니다. 그리고 급부(給付)란, 직역하면 내어준다는 것으로, 채권자가 채무자에게 요구할 수 있는 일정한 행위(또는 그에 따른 이익)를 말합니다(지원림, 2013).

예를 들어 철수가 영희로부터 1억원을 빌렸다면, 영희는 철수에게 1억원을 갚을 것을 요구할 수 있는 권리가 있는 것입니다. 또한, 돈뿐만 아니라 다양한 것이 채권에서의 급부가 될 수 있습니다. 예를 들어 철수가 영희에게 1백만원을 받고 바이올린 연주를 해주기로 계약을 맺었다면, 영희는 철수에게 돈을 지급한 후 바이올린 연주를 해줄 것을 요구할 수 있는 겁니다. 경제학에서는 채권(bond)

이라고 하면 금융기관 등에서 자금을 차용하기 위해 발행한 증서를 의미하는데, 법학에서는 훨씬 넓은 범위를 채권이라는 개념으로 다루고 있다는 점, 참고하시기 바랍니다.

어쨌거나 채권이 있게 되면, 채권자도 있고 채무자도 있게 될 텐데, 문제는 세상 사람들이 서로를 100% 다 믿을 수는 없다는 것입니다. 영희는 철수에게 1억원을 빌려주었지만, 사실 채무자인 철수가 1억원을 제대로 갚을지, 누가 알겠습니까? 가족끼리도 돈 때문에 사달이 나는 세상입니다.

만약 철수(채무자)가 영희(채권자)에게 변제 기일이 되었는데도 돈을 갚지 않았다고 가정해 봅시다. 그러면 영희는 철수에 대하여 (말로 해서는 안 들으니) 소송을 제기할 겁니다. 아마 대여금반환청구소송이 될 겁니다(보통 소송 전에 가압류를 걸겠지만, 자세한 내용은 생략하겠습니다). 이 소송에서 영희가 승소하면, 영희는 이제 법원을 통하여 철수의 재산을 강제경매에 넘겨 버리고, 그의 재산을 현금화하여 1억원을 회수할 수 있습니다. 예를 들어 철수가 가지고 있던 부동산을 팔아서 법원이 영희에게 돈을 돌려주는 식입니다.

여기까지 들으면, 그럴듯해 보입니다. 돈을 갚지 않고 버티는 사람이 있더라도 무난하게 법률로부터 보호받을 수 있을 것 같습니다. 그러나 현실은 그렇지 않지요. 가장 큰 문제 중 하나는 철수 같은 채무자가 영희뿐 아니라 다른 여러 사람에게도 빚을 지고 있는 경우입니다.

예를 들어 철수가 영희 외에 나부자로부터도 1억원을 빌렸다고 해봅시다. 철수의 채권자는 영희(1억원), 나부자(1억원) 2명이 되는 것입니다.

문제는 채권의 경우는 물권과 달리, 누구의 채권이 먼저 성립했는지(누가 먼저 돈을 빌려줬는지)와 무관하게 모든 채권자를 평등하게 다루는 것이 원칙이라는 것입니다. 이것을 채권자 평등의 원칙이라고 하는데, 나중에 채권편에서 좀 더 자세히 다룰 것입니다. 먼저 돈을 빌려준 영희 입장에서는 억울할 수 있겠지만, 사실 채권은 물권과 다르게 공시할 수 있는 방법이 없기 때문에 어쩔 수 없는 측면이 있기도 합니다.

그렇다면 철수의 부동산이 경매에 넘어가서 1억원에 낙찰되었다고 해도, 영희는 나부자와 이 돈을 나누어서 가져가야 합니다. 결국 영희와 나부자는 5천만원씩을 가져가게 됩니다(원래는 여기서 안분배당의 개념이 나오는데, 지금은 당장 중요한 것이 아니니 일단 넘어가도록 하겠습니다). 영희는 나머지 5천만원을 돌려받지 못하게 되는 것입니다. 우선변제를 받지 못하게 됨으로써 발생하는 문제점이지요.

자, 그렇다면 영희가 이런 문제를 예방하기 위해서는 어떻게 해야 되겠습니까? 채무자인 철수를 꽁꽁 묶어 두고 다른 사람에게는 돈을 빌리지 못하도록 할 수도 없지요. 그래서 영희는 이런 방법을 생각해 냅니다. 바로 담보를 잡는 것입니다. 철수에게, "너, 나한테 돈을 빌리고 싶으면 담보를 제공해라. 아니면 나는 돈 못 빌려준다." 이렇게 말하고, 철수의 재산을 담보로 잡아 '물권'을 설정한 후, 나중에 혹시라도 철수가 돈을 안 갚으면 그 재산으로부터 자금을 회수하는 것입니다.

물권은 채권과 다르게 공시방법이 있으므로, 누가 먼저 물권을 설정했는지가 매우 중요합니다(시간 순서가 중요). 따라서 영희가 먼저 담보물권을 걸어 버리면, 나중에 나부자가 철수에게 돈을 빌려두고 담보를 또 잡는다고 해도 영희에게 우선권이 있습니다. 자세한 내용은 차차 말씀드리겠지만, 어쨌건 여기서 알 수 있는 것은 담보라는 것이 결국은 채권의 안전한 회수를 위해 발달했다는 점입니다. "왜 하필 담보물권이라는 제도가 발달해 왔는가?"를 이해하는 것이 중요합니다.

민법이 정하고 있는 담보물권은 유치권(제7장), 질권(제8장), 저당권(제9장)이 있습니다. 이중 질권과 저당권의 경우, 원칙적으로 당사자 간의 합의(질권설정계약 또는 저당권설정계약)에 의해서 물건을 담보로 제공하고, 우선변제권이 인정된다는 점에서 약정담보물권이라고 부르며(예외적으로 법정질권(제648조, 제650조)과 법정저당권(제649조)는 제외), 유치권은 당사자의 약정이 없더라도 법률의 규정에 의하여 당연히 성립한다는 점에서 법정담보물권이라고 부릅니다(한웅길, 2006).

그럼 제320조로 가볼까요? 제1항에 따르면, 남의 물건 또는 유가증권을 점유한 사람은, 그 물건이나 유가증권에 관하여 생긴 채권이 변제기에 있는 경우에는 변제를 받을 때까지 그 물건 또는 유가증권을 유치할 권리가 있다고 합니다. 유치(留置)란, '머무를 유'에 '둘 치'의 한자를 쓰며, 대충 직역하자면 '맡아 둔다' 정도의 의미가 됩니다. 어른스럽지 못한 것, 미성숙한 것을 말할 때 쓰는 유치(幼稚)와는 한자가 다르니 주의하세요.

물건은 알겠는데, 유가증권은 뭘까요? 법학 분야에서 유가증권이라는 용어는 민법, 상법, 민사소송법, 증권거래법 등 다양한 법률에서 사용되고 있지만, 명확한 정의규정이 있는 것은 아니기 때문에 유가증권의 개념에 대해서 학설의 다툼이 있기는 합니다(김상규, 2001). 하지만 우리가 여기서 그렇게까지 자세히 알아볼 필요는 없고, 단순하게 '재산권을 나타내는 증서' 정도로 생각하면 될 듯합니다. 대표적으로 주식 같은 것이 바로 유가증권의 일종인 것이지요.

그래서 대략 제1항을 읽어보자면, 뭔가 '물건이나 유가증권에 관하여 생긴 채권'이 갚아야 할 때가 된 경우에는(변제기가 된 경우) 남의 물건 등을 맡아 둘 수 있는 권리가 있다는 뜻인 것 같습니다. 정말 단순하게 생각해보면, "돈을 안 갚으면 갚을 때까지 네 물건은 돌려주지 않을거야!"라는 의미인 것입니다. 그럼 구체적으로, 어떤 경우에 유치권이라는 것이 성립하는 것인지, 그 요건을 천천히 살펴보겠습니다.

1. 남의 물건 또는 유가증권을 적법하게 점유하고 있어야 합니다(제320조제2항).

일단, 다른 사람의 물건 같은 것을 적법하게 점유하고 있는 상태여야 합니다. 예를 들어, 철수(채무자)가 영희(채권자)로부터 빌린 1억원을 갚지 않고 있다고 해봅시다. 그런데 분노한 영희가 철수의 집에 쳐들어가, "감히 내 돈을 갚지 않다니. 유치권을 행사하겠다!"라고 하면서 철수가 가진 고급 승용차를 빼앗아 타고 왔습니다. 물건은 동산과 부동산 모두 가능하니까, 승용차도 포함됩니다.

그런데 위 사례에서 유치권 성립이 가능할까요? 이런 경우는 안 된다는 겁니다. 제320조제2항은 점유가 불법행위로 인한 경우에는 적용하지 않는다고 하고 있습니다. 일단 영희는 철수의 승용차를 적법하게 점유하고 있던 상태가 아니고, 불법행위로 승용차를 점유한 것이니까 요건 성립이 안됩니다.

그럼 어떤 경우가 '적법하게 남의 물건이나 유가증권을 점유'하고 있는 걸까요? 예를 조금 바꾸어 보겠습니다. 영희가 사실 원래 자동차 수리공이라고 합시다. 그리고 철수는 자신의 고급 승용차가 고장 나서, 영희에게 차를 맡기면서 수리해 달라고 합니다. 수리비 견적이 1억원이 나왔습니다. 수리비가 너무 비싸긴 한데, 고급 승용차라

그렇다 치고 대충 넘어갑시다.

영희는 자동차의 수리를 마쳤는데, 1억원의 수리비를 내야 할 의무가 있는 철수(채무자)가 돈을 주지를 않습니다. 바로 이런 경우에 영희(채권자)는 철수(채무자)의 자동차에 대해 유치권을 행사할 수 있는 것입니다. "자동차 수리비를 안 준다고? 그럼 네 차를 돌려주지 않을 테다." 이렇게 되는 것이지요. 영희는 자동차의 수리를 위해서 자동차를 점유하고 있었기 때문에, 당연히 적법한 점유를 하고 있다고 볼 수 있습니다.

2. 채권이 변제기에 있어야 합니다.

변제기(辨濟期)는 엄밀히는 채권자가 채무자에게 채무의 이행을 청구할 수 있는 시기를 말합니다. 아주 단순하게 생각하면, 돈을 갚기로 한 날이라고 할 수 있겠지요. 예를 들어 영희가 철수에게 1억원을 빌려주고 4월 1일까지 갚으라고 했다고 합시다. 바꿔 말하자면 철수는 4월 1일까지는 영희에게 돈을 갚지 않아도 되는 겁니다. 그렇다면 영희가 3월 29일에, "왜 내 돈 안 갚아! 유치권을 행사할 테다." 이렇게 나올 수는 없다는 것이지요.

그런데 변제기가 명확하지 않은 채권도 있습니다. 돈을 빌려주면서, 언제까지 갚을 것인지 서로 정하지 않는 경우도 있지요. 이처럼 기한을 정하지 않은 채권의 경우에는 채권자는 언제든지 이행청구

(돈을 갚으라고)를 할 수 있기 때문에, 채권 성립과 동시에 유치권이 성립할 수 있다고 볼 것입니다(지원림, 2013; 721면).

3. 채권과 물건 사이에 견련성이 있어야 합니다.

전혀 익숙하지 않은 표현이 나옵니다. 견련성(牽連性)... 저도 일상생활에서 써본 적이 없는 단어인데요, '끌 견'에 '연결할 연'의 한자를 사용합니다. 대충 직역하면 서로 얽혀서 연관된 것이라고 하겠습니다. 이를 우리가 공부하는 제320조에서는, "그 물건이나 유가증권에 관하여 생긴 채권"이어야 한다고 표현하고 있습니다. 단순하게 표현하자면, 견련성이란 "~에 관하여 생긴 것이라는 성질"인 겁니다. 그 성질은 유치권의 목적물과 피담보채권(담보를 받는 채권) 사이에 존재하여야 합니다(그래서 견련관계라고도 함).

쉽게 생각하면, 유치권의 목적이 되는 물건과 정말 아무 관계도 없는 채권을 빌미로 남의 물건을 돌려주지 않는 것은 안된다는 겁니다. 예를 들어 위의 채무자 철수와 자동차 수리공 영희의 사례에서, '철수의 자동차'와 '철수의 자동차를 수리함으로써 영희가 얻게 된 '수리비 대금청구권(채권)'은 서로 관계가 있다고 할 수 있습니다.

그러면 사례를 약간 비틀어서 생각해 보겠습니다. 수리공인 영희가 사실 철수의 건물에 세 들어 사는 임차인이었다고 해봅시다. 그녀는 철수에게 보증금을 맡겼는데, 임대차 기간이 끝났는데도 철수

가 보증금을 돌려주지 않고 있습니다. 이에 영희(보증금반환청구권의 채권자)는 마침 철수가 얼마 전 수리를 맡긴 자동차를 돌려주지 않기로 결심합니다.

이런 경우에는 안타깝지만 유치권을 주장하기가 쉽지 않습니다. 왜냐하면 임대차로 인해 생긴 채권과 철수의 자동차는 아무 상관이 없기 때문입니다. '견련성'이 없는 것입니다. 똑같은 사람(영희와 철수), 똑같은 금액(1억원)의 채권이라고 하더라도, 채권과 물건 사이의 견련성에 따라 유치권이 성립할 수도, 그렇지 않을 수도 있다는 점을 이해하시기 바랍니다.

이렇게 설명을 하긴 했지만, 현실에서는 실제로 도대체 어디까지가 견련성이 있는 것인지 판단하기 모호할 때가 많습니다. 그래서

한쪽에서는 “유치권이 성립했다. 돈을 안 갚으면 물건은 못 돌려준다.”라고 주장하는 반면, 다른 한쪽에서는 “견련성이 없는 채권이다. 유치권 성립 자체가 불가능하니 물건을 돌려줘라.”라고 주장하는 사태가 벌어지게 됩니다.

견련성에 대해서는 사실 이 주제 하나만으로도 논문이 여러 편 나올 만큼 내용이 많고 복잡하기 때문에, 여기서는 솔직하게 이 정도로 대충 때우고(?) 넘어가도록 하겠습니다. 더 자세한 논의를 살펴보고 싶은 분들은 [심화학습]을 참고하여 주시기 바랍니다.

4. 유치권이 성립하지 못하도록 막는 특약이 없어야 합니다.

이게 무슨 말일까요? 예를 들어 이런 겁니다. 수리공인 영희는 철수로부터, 자신의 고급 승용차를 수리해 달라는 요청을 받습니다. 그런데 철수가 계약서를 내밀면서 이렇게 제안하는 겁니다. “만약 제가 수리비를 안 갚는다고 하더라도, 제 승용차에 대해서 유치권을 행사할 수는 없다는 조항을 넣읍시다.”

이걸 받아들일 수리공이 있을까 싶지만, 영희가 철수를 너무 믿은 나머지 그렇게 하자고 하면서 계약서에 서명을 했습니다. 이것이 바로 유치권 성립을 배제하는 특약입니다. 비현실적이지만 공부를 위해 예를 들어 보았습니다. 이제 영희는 철수가 1억원의 수리비를 갚지 않는다고 하더라도, 다른 방법으로 돈을 회수할지언정 철수의 자

동차에 대해서 유치권을 행사할 수는 없게 됩니다. 그렇게 계약을 맺었으니까요.

민법에 명확히 있는 유치권을 개인이 서로 합의해서 포기하는 게 과연 괜찮은 것인가? 이런 생각이 드실 수도 있는데, 우리의 학설과 판례는 특약으로 배제하는 것이 불가능하지는 않다는 입장입니다.

판례는 "제한물권은 이해관계인의 이익을 부당하게 침해하지 않는 한 자유로이 포기할 수 있는 것이 원칙이다. 유치권은 채권자의 이익을 보호하기 위한 법정담보물권으로서, 당사자는 미리 유치권의 발생을 막는 특약을 할 수 있고 이러한 특약은 유효하다. 유치권 배제 특약이 있는 경우 다른 법정요건이 모두 충족되더라도 유치권은 발생하지 않는데, 특약에 따른 효력은 특약의 상대방뿐 아니라 그 밖의 사람도 주장할 수 있다."라고 하고 있어, 개인의 자유로운 선택에 의해 유치권 성립의 배제가 특약으로 가능하다고 보고 있습니다(대법원 2018. 1. 24. 선고 2016다234043 판결).

위의 4가지 조건을 만족하면, 법률의 규정에 의하여 유치권은 당연히 성립합니다. 철수와 영희가 유치권 설정계약서를 합의 하에 작성해서 성립하는게 아니라, 법률에 의해서 자연스럽게 성립한다는 것입니다. 그래서 당사자의 약정 없이도 법률에 따라 성립한다고 하여, 유치권은 법정담보물권(법률에서 정하는 담보물권)의 성질을 갖는다고 봅니다.

유치권이 성립하게 되면, 제1항에 적은 것처럼 유치권자는 스스로의 채권을 변제받을 때까지 목적물을 유치할 수 있습니다. 원래 주인에게 돌려주지 않고 버텨도 합법이라는 거죠. 즉, 여기서의 '유치'란 점유를 계속하면서 인도를 거절하는 것을 의미한다고 하겠습니다(김준호, 2017). 따라서 물건을 돌려받고 싶다면, 채무자는 채권자에게 변제를 하여야 할 것입니다. 유치권이 생각보다 꽤 강력한 권리라는 것을 알 수 있습니다.

오늘은 유치권의 개념과 법정담보물권으로서의 성질, 견련성 등에 대해 공부하느라 좀 내용이 많이 길어졌습니다. 양해 부탁드립니다. 내일은 유치권의 불가분성에 대해 살펴보도록 하겠습니다.

*참고문헌

김상규, "증권거래법상의 유가증권 개념론에 대한 소고", 증권예탁원, 증권예탁 제38호, 2001, 42면.

김준호, 「민법강의(제23판)」, 법문사, 2017, 807면.

지원림, 「민법강의(제11판)」, 홍문사, 2013, 874면.

한웅길, "법정담보물권이라는 개념의 유용성의 한계", 재산법학회, 재산법연구 제23권제2호, 2006, 201면.

[심화학습] 채권과 물건 사이의 견련성

피담보채권과 유치권의 목적물 사이의 견련성(견련관계)는 구체적으로 어떤 의미인 걸까요? 견련성의 개념은 곧 유치권이라는 제도의 적용범위를 결정하는 문제이므로, 아주 중요한 이슈라고 할 수 있습니다. 참고로, 지금부터의 논의는 동시이행의 항변권, 저당권, 임대차 등 나중에 공부할 개념들을 모두 알고 있다는 전제 하에 진행되므로 유의하시기 바랍니다.

대체로 법학 교과서에는 보통 견련성에 대한 학설을 크게 2가지로 분류합니다. 첫번째는 일원설입니다. 목적물이 채권발생의 직접적인 원인이 되는 경우에 견련관계를 인정하자는 것입니다. 이게 왜 일원설이라고 불리는지는 뒤에 나올 학설을 보면 대강 이해가 가실 겁니다.

두번째는 이원설이라고 불리는 학설로, 우리나라 학계의 다수설로 평가되는 견해입니다. 판례도 같은 입장에 서있다고 알려져 있습니다(대법원 2007. 9. 7. 선고 2005다16942 판결). 이 견해에서는, ①목적물이 직접적 원인이 되어 채권이 발생한 경우에 더하여, ②간접적 원인인 경우도 포함된다고 봅니다(홍동기, 2019).

①번의 경우는 채권이 목적물 자체로부터 발생한 경우를 생각해 볼 수 있을 것입니다. 예를 들어 건축주로부터 의뢰를 받아 건물을 완성한 공사업체가 건축주로부터 공사대금을 못 받았다고 해봅시

다. 그렇다면 공사업체가 건축주에 대하여 갖는 공사대금채권은 유치권의 목적물인 건물로부터 직접 발생한 것이라고 볼 수 있을 겁니다. 따라서 공사업체는 건물을 점유하고 건축주에게 돌려주지 않으면서 유치권을 행사할 수 있습니다. 공사대금을 받을 때까지요.

다른 예도 있습니다. 어떤 건물을 임차한 사람이 임차 기간 동안 많은 돈을 들여 건물의 하자 등을 수리하였다고 합시다. 그로 인하여 건물의 가치가 증가되었다고 가정합니다.

민법에 따르면 임차인이 유익비를 지출한 경우에는 임대인은 임대차종료시에 그 가액의 증가가 현존한 때에 한하여 임차인의 지출한 금액이나 그 증가액을 상환하도록 되어 있습니다(제626조제2항). 이러한 경우, 임차인이 임대인에게 갖는 유익비상환청구권은 목적물인 건물로부터 직접 발생한 것이라고 할 수 있을 겁니다. 따라서 임차인은 유익비를 돌려받을 때까지 건물을 점유하고 유치권을 행사할 수 있습니다.

또다른 예로는 물건(목적물)로 인해서 손해가 직접 발생한 경우가 있을 것입니다(손해배상청구권과 목적물 간의 견련성). 예를 들어 다른 사람의 물건을 대신 보관하여 주는 것을 임치라고 하는데, 물건을 맡아 주는 사람(수치인)이 임치물을 보관하다가 그 물건으로 인해서 손해를 입을 수도 있습니다. 이런 경우 수치인은 임치인(물건을 맡긴 사람)에 대하여 손해배상청구권을 갖는데(제697조), 이러한 손해배상청구권은 임치물로부터 직접 발생한 것이라고 볼 수 있을 것입니다.

그렇다면 ②목적물이 채권발생의 간접적인 원인이 되는 경우는 어떤 것일까요? 교과서에서는 이를 "채권이 목적물 반환청구권과 동일한 법률관계(또는 사실관계)로부터 발생한 경우"라고 설명합니다.

교과서에서 대표적인 예시로 드는 것이 바로 매매계약의 취소나 무효입니다. [②-1 사례] 예를 들어, 철수가 영희에게 볼펜을 팔았다고 해봅시다(볼펜 매매계약). 볼펜은 철수에게서 영희로 무사히 인도되었습니다. 그런데 착오라든지 모종의 사유로 매매계약이 취소되었습니다. 그렇다면 이제 철수는 영희에게서 받은 볼펜 매매대금을 영희에게 돌려주어야 합니다(영희는 대금반환청구권을 가짐). 그리고 영희는 철수에게서 받은 볼펜을 철수에게 돌려주어야 합니다(철수는 목적물반환청구권을 가짐).

여기서 영희가 갖는 대금반환청구권은 사실 볼펜 그 자체로부터 발생한 것은 아닙니다. 계약이 있다가 취소됨으로써 발생한 것이지요. 하지만 채권의 목적물반환청구권(철수가 영희에 대하여 볼펜을 되돌려달라고 요구할 수 있는 권리)과 매매대금반환청구권은 동일한 법률관계(매매계약과 그 취소)에서 발생한 것이라고 볼 수 있을 것입니다. 따라서 이러한 경우에는 목적물(볼펜)으로부터 '간접적'으로 채권이 발생한 것이라고 보고, 견련관계를 인정해줄 필요가 있다고 합니다. 따라서 영희는 철수로부터 돈을 돌려받을 때까지 볼펜

을 점유하고 유치권을 행사할 수 있는 것입니다.

또한 채권이 목적물반환청구권과 동일한 '사실관계'에서 발생하는 경우도 포함됩니다. [②-2 사례] 예를 들어 클럽에서 A와 B가 각각 짐을 맡기고 들어가서 놀았는데, 서로 집에 갈 때 짐을 실수로 바꿔서 들고 갔다고 합시다. 이런 경우 A와 B는 각자의 물건에 대해 반환청구권이 있고, 이는 동일한 사실관계(물건을 바꿔서 잘못 찾아감)에서 발생하였다는 것이지요(양창수·김형석, 2023).

이원설에서의 기준에 따라 견련성이 부정되는 경우도 있습니다. [견련성 부정 사례] 예를 들어, 건물을 임차한 사람이 건물주(임대인)에게 보증금을 맡겼다고 해봅시다. 임차인은 임대차 계약기간 끝난 후에도 임대인이 보증금을 돌려줄 때까지 건물을 점유하면서 유치권을 행사할 수 있을까요? 이원설에서는 안 된다고 설명합니다. 왜냐하면, 보증금을 돌려받을 권리는 건물의 사실상태로부터 바로 발생한 권리가 아니고 단지 임차인이 임대인에게 갖는 채권일 뿐이라는 것이지요(박동진, 2022). 판례도 같은 입장입니다(대법원 1976. 5. 11. 선고 75다1305 판결).

그런데 여기까지는 다수설(이원설)의 설명일 뿐이고, 이에 대해 비판하는 학자들도 적지 않습니다. 사실 위 사례들을 읽으시면서 고개를 갸웃하신 분들이 많을 겁니다. 견련성이 있다든지 없다든지 하는 설명이 그럴듯한 것 같으면서도 또 왜 없다는 것인지 이해가 잘 안 가기도 하고, 그러실 겁니다. 학자들 중에도 의문을 제기하는 분들이 많았습니다.

예를 들어 양창수·김형석 교수님은 이원설이 독일 민법의 설명을 가져온 것으로, 우리 민법에 그대로 적용하기에는 문제가 있다고 비판합니다. 독일의 경우 유치권이 채권적 항변권으로 규정되어 있는데, 우리의 유치권은 물권이므로(대세효 있음) 독일의 학설을 적용할 경우 너무 유치권의 적용범위가 넓어지고 거래 안전을 저해할 수 있다는 것입니다.

결국 유치권이라는 물권적 권능을 정당화할 수 있는지를 중심으로 보되, 그 외에도 유치권 인정으로 인한 거래의 부담을 감수할 만큼 법정책적으로 중요한지, 또는 유치권의 성립을 부정할 만한 다른 법적 고려사항이 있는지 등을 검토하여야 한다는 겁니다(양창수·김형석, 2023).

박용석 교수님은 이렇게 봅니다. 위 [견련성 부정 사례]를 다시 살펴볼까요? 이원설에서는 위 사례에서 임차인의 보증금반환청구권과 임대차목적물 사이의 견련성을 부정하고 있습니다. 그러나 교수님은 그 논거가 명확하지 않다고 봅니다. 반환청구권과 임차인의 목적물반환의무는 결국 '임대차관계의 종료'라는 동일한 법률관계에 기인한 것이 아니냐는 것입니다. 이는 이원설에서 견련성을 부정하는 결론을 내고 있음에도 이를 제대로 설명하지 못하고 있다는 점을 지적한 것이지요.

이에 박 교수님은 견련성은 채권이 목적물 자체로부터 발생한 경우에 한정하여 인정하되, 나아가 공평의 원칙상 이에 준하는 경우를 포함하는 것으로 보아야 한다고 주장합니다(박용석, 2008).

김준호 교수님은 위 [②-1 사례]에서의 매매대금반환청구권과 목적물 간의 견련성을 (다수설과는 달리) 부정하여야 한다고 비판합니다. 예를 들어 저당권이 설정된 부동산이 팔렸다가 해당 매매계약이 취소된 경우, 부동산 점유자에게 유치권이 인정되면 저당권이 실행되어 낙찰받은 사람에게 불의의 피해가 발생할 수 있다는 것입니다. 또한, 매매계약의 무효나 취소에서는 매수인에게 동시이행의 항변권을 인정하는 정도면 충분하다는 점도 논거로 제시합니다.

참고로, 김 교수님은 [②-2 사례]에서도 다수설과 달리 유치권 성립을 부정하여야 한다고 봅니다. 왜냐하면 해당 사례에서 A와 B는 각자 소유물에 기한 반환청구권을 갖고 있는데, 이러한 물권적 청구권은 유치권에 의하여 담보되는 채권의 범주에는 포함되지 않는다는 것입니다. 그러니까 유치권을 주장할 것이 아니라, 서로 소유물 반환청구를 하면 족하다는 것이지요(김준호, 2017: 801-802면).

송덕수 교수님도 [②-1 사례]에서 견련성을 부정하여야 한다고 봅니다. 왜냐하면 물건 매매계약이 취소되거나 하는 경우 민법 제536조를 유추적용하여 매수인에게 동시이행의 항변권을 인정해주면 충분하다는 것입니다. 송 교수님은 유치권이 물권인 만큼 엄격한 요건을 준수하여 까다롭게 인정할 필요가 있다고 보고, 유치권 제도의

취지상 유치권이 인정될 필요성이 있는 경우, 즉 채권과 목적물 사이의 밀접한 관련성이 있는 때에 견련성을 인정하여야 한다는 입장입니다. 특히 동시이행의 항변권으로 해결할 수 있는 사안이라면 유치권 성립을 인정해서는 안된다고 주장하지요(송덕수, 2022).

이외에도 참 많은 학자들이 유치권에서 말하는 견련성이란 무엇이며, 어떻게 판단해야 하는지에 대해 많은 고민을 하였습니다. 지면 관계상 여기서 모두 설명드릴 수는 없지만, 과연 우리는 견련성을 어떻게 판단하여야 하는가, 한번 스스로 생각해보는 기회를 가져보시길 바랍니다.

*참고문헌

김용덕 편집대표, 「주석민법 물권3(제5판)」, 한국사법행정학회, 2019, 460-461면(홍동기).

김준호, 「민법강의(제23판)」, 법문사, 2017, 797-798면.

박동진, 「물권법강의(제2판)」, 법문사, 2022, 391-392면.

박용석, "유치권 성립요건으로서의 견련성에 관하여", 부산대학교 법학연구소, 법학연구 제48호제2호(통권 제58호), 2008, 228-230면.

양창수·김형석, 「권리의 보전과 담보(제5판)」(전자책), 박영사, 2023, 373-378면.

송덕수, 「신민법강의(제15판)」(전자책), 박영사, 2022, 606-607면.

제321조(유치권의 불가분성)

유치권자는 채권전부의 변제를 받을 때까지 유치물전부에 대하여 그 권리를 행사할 수 있다.

불가분성(不可分性)이란, 쪼개거나 분리할 수 없다는 뜻 정도로 사용된다는 것을 알 수 있습니다. 사실 이 불가분성은 유치권뿐 아니라 저당권·질권 등 담보물권 전반에 걸쳐 인정되는 성질입니다. 우리 민법은 제321조에서 유치권의 불가분성을 규정하고, 이를 다른 담보물권 파트에서 준용하는 방식을 활용하고 있습니다.

그렇다면 유치권의 불가분성이란 구체적으로 무슨 의미일까요? 제321조는 유치권자가 채권 전부의 변제를 받을 때까지 유치물 '전부'에 대하여 그 권리를 행사할 수 있다고 하는데, 이게 어떤 측면에서 불가분성이라는 것인지 와 닿지 않습니다.

예를 들어 보겠습니다. 나부자는 넓은 땅을 갖고 있습니다. 그는 여기에 건물을 지어 돈을 벌 생각을 하고 있습니다. 그런데 나부자는 건축이라는 건 해본 적이 없으므로, 유명한 건설업자인 최건축에게 의뢰를 합니다. 자기 땅에 5층짜리 다세대주택을 지어 주면, 10억원을 주겠다고 합니다.

최건축은 나부자와 계약을 마치고, 나부자의 땅에 드나들면서 1년 동안 열심히 건물을 지었습니다. 공사가 완료되고, 다세대주택은

어느덧 1층에 10세대씩, 총 50세대가 살 수 있는 큰 건물이 되었습니다. 그런데 나부자는 최건축에게 약속한 공사대금 중 5억원만을 지급하고, 나머지 금액은 주지 않았습니다.

이에 화가 난 최건축은 나머지 5억원을 마저 받기 위해 공사 완료된 건물을 나부자에게 돌려주지 않고, 유치권을 행사하려고 합니다. 그러나 조금 타이밍이 늦은 탓으로(?), 50세대 중 1개 세대만 점유하는데 성공했습니다.

나부자의 주장은 이렇습니다. “유치권이라는 것은 물건을 점유하여야 인정되는 것이다. 그런데 최건축은 50세대로 구성된 건물 중 1세대만 점유하고 있으므로, 최건축의 유치권이 적용되는 범위는 10억원의 공사대금 중 20분의 1인 5,000만원이라고 할 것이다. 따라서 내가 5,000만원을 줄 테니, 최건축은 1세대 부분을 돌려줘라.”

바로 이런 경우에 최건축은 제321조를 이용하여 반박할 수 있습니다. 유치권자인 최건축은 비록 50세대의 건물 중 1세대만을 점유하고 있지만, 채권 전부(10억원)의 변제를 받을 때까지 유치물 전부(건물 전체)에 대하여 유치권을 행사할 수 있는 것입니다. 따라서 나부자의 주장과는 달리 최건축은 5,000만원이 아니라 5억원의 미지급 공사대금 전부를 담보하는 유치권을 갖고 있다고 할 것입니다.

우리의 판례 역시 "이 사건 공사계약은 위 다세대주택에 대한 재건축공사 중 창호와 기타 잡철 부분을 일괄적으로 하도급한 하나의 공사계약임을 알 수 있고, 또 기록에 의하면, 이 사건 공사계약 당시 공사대금은 구분건물의 각 동호수 별로 구분하여 지급하기로 한 것이 아니라 이 사건 공사 전부에 대하여 일률적으로 지급하기로 약정되어 있었고, 그 공사에는 각 구분건물에 대한 창호, 방화문 등뿐만 아니라 공유부분인 각 동의 현관, 계단 부분에 대한 공사 등이 포함되어 있으며, 위 소외 2가 피고에게 이 사건 공사대금 중 일부를 지급한 것도 특정 구분건물에 관한 공사대금만을 따로 지급한 것이 아니라 이 사건 공사의 목적물 전체에 관하여 지급하였다는 사정을 엿볼 수 있는바, 이와 같이 이 사건 공사의 공사대금이 각 구분건물에 관한 공사부분별로 개별적으로 정해졌거나 처음부터 각 구분건물이 각각 별개의 공사대금채권을 담보하였던 것으로 볼 수 없는 이상, 피고가 소외 2에 대하여 가지는 이 사건 공사 목적물(7동의 다세대주택) 전체에 관한 공사대금채권은 피고와 소외 2 사이의 하도급계약이라는 하나의 법률관계에 의하여 생긴 것으로서 그 공사대금채권 전부와 공사 목적물 전체 사이에는 견련관계가 있다고 할 것이고, 피고가 2003년 5월경 이 사건 공사의 목적물 전체에 대한 공사를 완성하여 이를 점유하다가, 현재 나머지 목적물에 대하여는 점유를 상실하고 이 사건 주택만을 점유하고 있다고 하더라도, 유치물은 그 각 부분으로써 피담보채권의 전부를 담보한다고 하는 유치권의 불가분성에 의하여 이 사건 주택은 이 사건 공사로 인한 공사대금채권 잔액 157,387,000원 전부를 담보하는 것으로 보아야 할 것이고, 그렇게 보는 것이 우리 민법상 공평의 견지에서 채권자의 채권확보를 목적으로 법정담보물권으로서의 유치권 제도를 둔 취지에도 부합한다고 할 것이다."라고 하여, 유사한 입장에 있습니다(대법원 2007. 9. 7. 선고 2005다16942 판결). 이 판례는 유치권에 관하여 상당히 유명한 판례이므로, 호기심이 많은 분들은 직접 판결문을 검색해서 읽어 보시면 좋을 듯합니다.

오늘은 유치권의 불가분성에 대하여 알아보았습니다. 사실 어제는 자동차 수리공의 예시를 들어 유치권을 설명하였지만, 현실에서 유치권에 관한 싸움이 가장 첨예하게, 또 빈번하게 일어나는 분야가 바로 위의 사례와 같은 공사대금 문제입니다(보통 공사대금은 금액이 워낙 크기도 하고요). 공사대금을 못 받아서 건물을 점거하고 유치권을 행사하는 사례가 신문에도 자주 등장하곤 합니다. 과연 유치권이 유효하게 성립하는지, 그런 사례를 신문에서 마주칠 때에는 한 번 생각해 보시면서 읽는 것도 재미있을 듯합니다.

내일은 유치물의 경매와 간이변제충당에 대해 공부하도록 하겠습니다.

제322조(경매, 간이변제충당)

①유치권자는 채권의 변제를 받기 위하여 유치물을 경매할 수 있다.
②정당한 이유있는 때에는 유치권자는 감정인의 평가에 의하여 유치물로 직접 변제에 충당할 것을 법원에 청구할 수 있다. 이 경우에는 유치권자는 미리 채무자에게 통지하여야 한다.

유치권을 가지면 따라오는 장점은 또 무엇이 있을까요? 우선 지금까지 공부한 바로는, 유치권자는 채권의 변제를 받을 때까지 목적물을 계속 점유하면서 돌려주지 않을 수 있습니다.

오늘 공부하는 제322조제1항은, 유치권자가 단순히 '물건을 보관하는 것'에서 더 나아가 목적물을 경매에 부칠 수 있다고 정하고 있습니다(유치권자의 경매권 또는 경매청구권). 얼핏 보면 유치권에 굉장히 강력한 힘을 부여해 주는 것 같습니다. 그런데 사실은 좀 더 생각해 볼 만한 문제들이 있는데, 오늘은 이 부분에 대해서 중점적으로 살펴볼까 합니다.

논의를 진행하기 전에 먼저 알아 둘 부분이 있습니다. 유치권이 걸려 있는 부동산이 경매에서 환가되는 방식에는 2가지가 있다는 것입니다.

하나는 유치권자가 아닌 다른 사람이 경매를 신청하는 경우입니다. 유치권이 걸려 있는 부동산에 저당권 같은 다른 물권이 이미 설

정되어 있어서 그 저당권자가 경매를 신청할 수도 있고(임의경매), 부동산 소유자에게 돈을 빌려준 일반채권자가 있어서 그 사람이 강제경매를 신청할 수도 있습니다.

다른 하나는 유치권자가 직접 경매를 신청하는 것으로, 오늘 공부하는 제322조제1항이 바로 그 근거가 됩니다. 이것을 유치권에 기한 경매라고 부릅니다. 그러면 지금부터는 유치권의 일반적인 특성과 함께, 이러한 특성이 유치권에 기한 경매에 미치는 영향을 살펴보도록 하겠습니다.

1. 유치권에는 우선변제권능이 없다.

우리는 전에 전세권에 대하여 공부할 때, 우선변제권의 개념을 살펴본 바 있었습니다(제303조 부분 참고). 전세권의 경우는 우선변제권이 있어서, 후순위권리자나 기타 채권자보다 '우선하여' 채권변제를 받을 수 있었습니다. 전세권의 강력한 장점이었지요.

제303조(전세권의 내용) ①전세권자는 전세금을 지급하고 타인의 부동산을 점유하여 그 부동산의 용도에 좇아 사용 · 수익하며, 그 부동산 전부에 대하여 후순위권리자 기타 채권자보다 전세금의 우선변제를 받을 권리가 있다.

그런데 유치권의 경우에는 우선변제권이 인정되지 않습니다. 매우 중요하니 기억해 두세요. 전세권의 경우는 제303조제1항에서 명시적으로 우선변제권을 부여하고 있지만, 유치권의 경우 민법 어디에도 우선변제권을 부여하는 조항이 없습니다. 따라서 우선변제권이 인정되는 저당권이나 질권에 따른 경매는 실질적 경매라고 부르고, 우선변제권이 인정되지 않는 유치권에 따른 경매는 단순히 물건을 금전으로 바꾼다는 정도의 의미를 갖는 것이어서 형식적 경매라고 부르기도 합니다. 형식적 경매라는 단어 자체를 외우는 것보다, 우선변제권이 인정되지 않기 때문에 실질적 경매와는 다른 특성을 갖는다는 사실을 이해하는 것이 중요합니다.

우리의 「민사집행법」은 유치권에 의한 경매를 따로 규정하면서, 담보권 실행을 위한 경매(저당권 등에 따라 실시되는 경매를 말합니다)의 예에 따르도록 정하고 있습니다. 하지만, 실제로 유치권에 의한 경매를 '단순히 유치물을 환가하는 것'(현금으로 바꾸는 것)으로 보아야 하는지, 아니면 변제를 받기 위한 성질이 있는 것인지, 소멸주의와 인수주의 중 무엇을 취해야 하는지 등 학설의 논란이 심한 분야이기도 합니다(이상태, 2011). 여기서는 분량상 그 모든 부분을 소개하기는 어려우니 관심 있는 분들은 논문을 검색하시길 바랍니다.

민사집행법
제274조(유치권 등에 의한 경매) ①유치권에 의한 경매와 민법 · 상법,

그 밖의 법률이 규정하는 바에 따른 경매(이하 "유치권등에 의한 경매"라 한다)는 담보권 실행을 위한 경매의 예에 따라 실시한다.
②유치권 등에 의한 경매절차는 목적물에 대하여 강제경매 또는 담보권 실행을 위한 경매절차가 개시된 경우에는 이를 정지하고, 채권자 또는 담보권자를 위하여 그 절차를 계속하여 진행한다.
③제2항의 경우에 강제경매 또는 담보권 실행을 위한 경매가 취소되면 유치권 등에 의한 경매절차를 계속하여 진행하여야 한다.

2. 하지만 유치권에도 예외적으로 우선변제권능이 인정되는 경우가 있다.

이제 제2항을 봅시다. 조 제목에 나오는 '간이변제충당'에 관한 내용인데요, 이름 자체가 좀 생소하긴 합니다. 간이변제충당이란 이런 의미입니다. 우리가 제1항에서 배웠듯이 유치권자가 경매를 신청할 수 있긴 한데, 사실 현실에서 경매를 신청하고 절차를 밟는다는 게 쉬운 일은 아닙니다. 시일도 오래 걸리고, 알아야 할 것도 많고, 법률가의 조언이 필요한 경우도 많습니다.

그래서 제2항에서는 번거롭게 경매를 거치지 않더라도, '정당한 이유'가 있는 때에는 감정인의 평가에 따라 유치물 그 자체로써 스스로의 채권을 변제할 수 있도록 하고 있습니다. 즉, 간이변제충당이 실시되면 유치권자는 유치물의 소유권을 바로 취득하게 됩니다. 그럼 그 물건을 팔든지 자기가 쓰든지 하면 되지요. 이제 왜 '간이'

변제충당인지 이해하셨을 겁니다. 보다 간단한 절차라는 겁니다.

하지만 간이변제충당을 무제한으로 허용하게 되면, 제1항의 경매권을 둔 이유가 없겠지요. 누가 경매절차를 이용하려고 하겠습니까? 번거롭게. 그래서 간이변제충당을 하려면 다음의 요건을 충족시켜야 합니다.

①먼저 간이변제충당을 해야 할 '정당한 이유'가 있어야 합니다. 예를 들어 물건의 가치 자체가 몇 푼 하지도 않는 경우라면 어떨까요? 유치권을 행사하고 있는 물건이 10만원 정도 값어치라면, 이걸 경매에 부치는 것은 오히려 사회 전체의 관점에서 비효율적입니다. 하지만 부동산을 점유하고 유치권을 행사하고 있는데, 부동산의 가치가 10억원이 훌쩍 넘는다면, 이걸 간이변제충당으로 처리하기는 좀 어렵겠지요.

②감정인의 평가를 받아야 합니다. 감정인이 뭘까요? 우리는 가끔 '감정'이라는 표현을 듣습니다. 예를 들어 미술품 감정인이라고 하면, 미술에 대한 조예가 깊은 사람으로서 미술품이 진품인지, 가치가 어느 정도인지를 판단하는 일을 할 겁니다. 법학에서 감정인(鑑定人)은, 소송에서 법원의 명령을 받아 자신의 전문분야에서의 지식 또는 경험을 이용해서 구체적 사실을 판단하고, 이를 법원(법관)에게 보고하는 일을 합니다.

사회가 복잡해지고 전문성 있는 분야도 많은 만큼, 판사들이 모든

것을 혼자 판단하기는 어렵습니다. 예를 들어 의료사고에 관련된 소송을 맡은 판사가 있다고 해봅시다. 그 판사는 의사는 아닙니다. 하지만 그럼에도 불구하고 소송에 휘말린 의사가 정말 진료를 하는 과정에서 과실이 있었는지, 수술을 받은 환자가 뭔가 잘못한 것은 아닌지 등을 판단하여야 합니다. 이와 같이 전문성이 요구되는 분야에서, 법원은 감정인의 도움을 받게 되는 것입니다.

예를 들어 유치권자가 법원에 "제가 점유하고 있는 유치물은 값어치가 기껏해야 10만원 정도에 불과합니다. 경매에 부치기는 적절하지 않으니, 간이변제충당을 하게 해 주세요." 이렇게 얘기했다고 해봅시다.

논리적으로는 맞는 말인데, 그 물건의 가치가 10만원이라는 것은 단지 유치권자 스스로 주장하는 것에 불과합니다. 실제로는 값어치가 1억원인데, 경매에 안 부치고 유치권자가 간단하게 날름(?) 하기 위해 거짓말을 하는 것일 수도 있습니다. 이런 경우를 막기 위해, 감정인의 객관적인 평가에 따라 법원은 실제로 그 물건의 가치가 10만원인지 판단할 수 있는 것입니다.

③법원에 청구를 하여야 합니다. 유치권자가 가만히 있는데 법원이 먼저 나서서 간이변제충당을 해보라고 추천해 주지는 않죠. 법원에 청구하고, 법원에서 간이변제충당 허가를 해줘야 합니다.

④유치권자가 채무자에게 미리 통지를 하여야 합니다. 이건 제

322조제2항 후단의 내용인데요, 왜 굳이 채무자에게 미리 알려주어야 할까요? 그건 채무자를 어느 정도는 보호할 필요가 있기 때문입니다. 나중에 공부하겠지만, 민법 제327조에 따라 채무자는 상당한 담보를 제공하고 유치권을 소멸시킬 수 있습니다. 그런데 채무자가 그렇게 하기도 전에 아무 말도 없이 유치권자가 간이변제충당을 해버리고 물건을 처분해 버리면, 채무자는 소중한 유치물을 되찾을 길이 없게 됩니다. 그래서 채무자에게도 유치물의 소유권을 보전할 기회를 부여하기 위해서 이런 조건을 두고 있는 것입니다(지원림, 2013). 이런 통지 없이 유치권자가 간이변제충당 신청을 하면, 법원은 이를 각하하게 됩니다(김준호, 2017).

제327조(타담보제공과 유치권소멸) 채무자는 상당한 담보를 제공하고 유치권의 소멸을 청구할 수 있다.

간이변제충당이 인정되면, 유치권자는 목적물의 소유권을 바로 취득하며, 등기도 필요로 하지 않습니다(제187조). 대신 물건의 평가액 한도에서 채권은 소멸하게 될 것입니다. 물론, 평가액이 채권보다 많은 경우에는 남는 돈은 채무자에게 돌려주어야 하고요, 반대로 적은 경우에는 마저 남은 빚을 채무자에게 받을 수 있겠지요(박동진, 2022).

*이처럼 제322조제2항의 간이변제충당과 (나중에 공부할) 제323조의 과실수취권 등을 가리켜, 우리 민법이 예외적으로 유치권자에게 우선

변제적 권능을 인정하고 있다고 해석하기도 합니다(홍동기, 2019; 송덕수, 2022).

3. 유치권에 기한 경매의 효과

자, 그러면 유치권에 기한 경매의 결과 어떤 효과가 발생하게 되는 걸까요? 앞서 말씀드린 「민사집행법」 제274조제1항에 따라, 유치권에 기한 경매는 담보권 실행을 위한 경매의 예에 따라 진행됩니다.

그러면 경매가 진행되면 유치권은 어떻게 되느냐? 우리 판례는 여기서 "유치권에 의한 경매도 강제경매나 담보권 실행을 위한 경매와 마찬가지로 목적부동산 위의 부담을 소멸시키는 것"이라고 하면서, "우선채권자뿐만 아니라 일반채권자의 배당요구도 허용되며, 유치권자는 일반채권자와 동일한 순위로 배당을 받을 수 있다"고 판시하였습니다(대법원 2011. 6. 15.자 2010마1059 결정).

학계에서는 위 판결에서 대법원이 이른바 '소멸주의(소제주의)'를 취했다고 평가하는데요, 이는 특별한 매각조건이 없는 한 유치권을 포함한 부동산 위의 부담(저당권 등)이 모두 소멸하게 된다는 것을 의미합니다.

*위 판결에서 대법원이 소멸주의를 취하는 바람에, 해당 판결 이후로는

유치권자가 스스로 경매를 신청할 이유는 더더욱 줄어들었다고 평가하기도 합니다(서종희, 2022).

그런데 사실 유치권에 기한 경매에 따른 효과를 정확히 이해하기 위해서는, 「민사집행법」 제91조제5항과 이를 둘러싼 학설의 논란을 모두 살펴볼 필요가 있습니다. 하지만 이 부분까지 다루는 것은 본서의 범위를 넘는 것이므로, 관심이 있는 분들은 따로 찾아보시길 추천드리면서 넘어가도록 하겠습니다.

참고로 하나 상식(?) 차원에서 말씀드릴 것이 있습니다. 유치권은 저당권, 소유권 등과 달리 등기되지 않는 권리라는 점이지요. 예를 들어 저당권에 의한 경매를 실시한다고 하면, 법원에서는 등기나 저당권 설정계약서를 보고 "아, 여기 땅에는 저당권이 설정되어 있군." 이렇게 알 수 있지만, 유치권은 앞서 우리가 공부한 요건들을 충족하면 법률에 따라 성립하는 것이기 때문에 등기가 되어 있지 않습니다. 즉, 설령 있지도 않은 거짓말로 유치권이 있다고 주장을 해도 (소송을 통해 진실을 밝히지 않는 한) 제3자 입장에서는 그 유치권이 유효한지 아닌지 알기가 쉽지 않다는 겁니다.

때문에 현실에서는 소위 '가장유치권 또는 허위유치권'의 문제가 늘 제기되고 있으며, 악질적인 의도로 존재하지도 않는 유치권이 있다고 주장하는 사람들이 등장하기도 합니다. 그래서 유치권에 의한 경매를 신청할 때 (유치권의 존재를 증명할 수 있는) 확인판결이나 공정증서 등을 제출하도록 하여야 한다는 견해도 있습니다(장건·우경, 2015).

그런데 공부를 위해 긴 시간을 들여 말씀드렸지만, 실제 현실에서는 '유치권에 기한 경매' 자체는 별로 없는 것이 사실입니다. 맥빠지게 해드려서 죄송합니다만… 유치권 자체는 빈번하게 문제되지만, 유치권이 있다고 주장하는 사람들도 스스로 직접 경매를 신청하기보다(오늘 공부한 제322조를 이용하기보다) 다른 채권자가 제기한 경매절차에서 "나 유치권자다!" 이렇게 주장하는 경우가 더 많기 때문입니다. 장건·우경(2015; 43면)에 따르면, 법원 실무상 유치권에 기한 경매의 실제 사례는 9건 정도에 불과하고, 그나마도 최종적으로 경매 낙찰까지 이루어진 사례는 6건에 불과하다고 할 정도입니다. 물론, 이것은 2015년 논문이니까 이후의 자료는 다시 조사가 필요하긴 하겠습니다.

하지만 그럼에도 불구하고 유치권에 기한 경매를 장황하게 말씀드린 이유는, 이런 논의가 유치권 자체에 대한 이해를 높이는데 중요하기 때문입니다. 현실에서 유치권이 어떤 의미를 갖는지, 우선변제권이 없는지 등을 알고 있는 것은 의미가 있습니다.

긴 내용을 공부하느라 고생이 많으셨습니다. 내일은 과실수취권에 대해 살펴보도록 하겠습니다.

*참고문헌

김용덕 편집대표, 「주석민법 물권3(제5판)」, 한국사법행정학회, 2019, 512-513면(홍동기).

김준호, 「민법강의(제23판)」, 법문사, 2017, 810면.

박동진, 「물권법강의(제2판)」, 법문사, 2022, 404면.

서종희, "부동산 민사유치권과 우선변제권 - 유치권의 우선변제권을 인정하자는 개정논의에 대한 검토 -", 건국대학교 법학연구소, 일감부동산법학 제25호, 2022, 147면.

송덕수, 「신민법강의(제15판)」(전자책), 박영사, 2022, 608-609면.

이상태, "부동산유치권에 의한 경매의 성질과 절차", 건국대학교 법학연구소, 일감법학 제20호, 2011, 6-17면.

장건·우경, "유치권에 기한 경매에서 집행권원의 필요성", 한국감정평가학회, 감정평가학논집 통권 제23호, 2015, 49면.

지원림, 「민법강의(제11판)」, 홍문사, 2013, 731면.

제323조(과실수취권)

①유치권자는 유치물의 과실을 수취하여 다른 채권보다 먼저 그 채권의 변제에 충당할 수 있다. 그러나 과실이 금전이 아닌 때에는 경매하여야 한다.
②과실은 먼저 채권의 이자에 충당하고 그 잉여가 있으면 원본에 충당한다.

이번에는 유치권자의 과실수취권에 대해 알아보겠습니다. 제323조제1항에서는, 유치권자가 유치물의 과실을 수취하여, 다른 채권보다 먼저 그 채권의 변제에 충당할 수 있다고 합니다. 다만, 과실이 금전(돈)이 아닌 경우에는 경매를 하도록 하고 있습니다(제1항 단서).

과실의 개념에 대해서는 우리가 민법 총칙 편에서 공부하였던 바 있습니다(제101조). 제323조에서의 과실 역시 천연과실과 법정과실을 모두 포함한 개념입니다.

제101조(천연과실, 법정과실) ①물건의 용법에 의하여 수취하는 산출물은 천연과실이다.
②물건의 사용대가로 받는 금전 기타의 물건은 법정과실로 한다.

그런데 제323조에서 말하는 과실수취권의 개념이, (1)정말로 유치물에서 나온 과실의 소유권을 취득하는 것이냐, 아니면 (2)단지 과실에 대해 유치권을 취득하는 것에 불과한 것이냐, 학설의 논쟁이 있습니다. 대체로 학계의 다수 견해는 (2)의 입장을 취하고 있습니다.

왜냐? 만약 단순히 (1)의 입장이라고 본다면, 제201조의 존재로 인하여 제323조의 의미가 옅어지기 때문이라는 겁니다. 제201조를 기억하십니까? 제201조제1항은 선의 점유자의 과실수취권을 인정하고 있었고, 여기서의 과실수취권은 소유권의 취득을 의미하는 것으로 학설은 보고 있습니다.

제201조(점유자와 과실) ①선의의 점유자는 점유물의 과실을 취득한다.

이런 상황에서 만약 제323조의 과실수취권을 (1)과 같이 해석한다면, 제323조는 굳이 왜 넣은 조문인지 이해하기 어렵게 되어버립니다. 왜냐하면 유치권자도 선의의 점유자이므로, 제201조제1항만으로도 과실의 소유권을 취득할 수 있기 때문입니다. 제323조를 굳이 만들 필요가 없습니다(홍동기, 2019).

따라서, 제323조제1항은 유치물로부터의 과실에 대해 유치권자가 '유치권'을 취득하는 것으로 보되, 대신 제1항의 문구를 고려하여 예외적으로 우선변제권을 취득하는 것으로 해석하는 것이 타당할 것입니다(김준호, 2017).

여기서 잠깐, 제323조제1항에서 말하는 과실수취권이라는 것이

표현만으로는 와 닿지 않는 부분이 있어서, 오해가 발생할 수 있습니다. 예를 들면 이런 겁니다.

"과실수취권에 법정과실도 포함이라고? 그러면, 공사대금을 받지 못해서 공사가 끝난 건물에 유치권을 행사하고 있는 나에게는 좋은 소식이군. 채무자가 공사대금을 줄 때까지, 이 건물에 세를 주고 월세를 받아야겠다. 월세도 법정과실이니까."

안타깝지만 그게 쉽지는 않습니다. 임대료는 법정과실의 일종이라고 할 수 있지만, (내일 공부할) 제324조제2항은 다음과 같이 규정하고 있습니다.

> 제324조(유치권자의 선관의무)
>
> ②유치권자는 채무자의 승낙없이 유치물의 사용, 대여 또는 담보제공을 하지 못한다. 그러나 유치물의 보존에 필요한 사용은 그러하지 아니하다.

따라서 위의 제324조제2항에 따라 유치권자는 채무자의 승낙이 없이 유치물을 임대할 수 없습니다. 결국 월세를 받아서 채권의 변제에 충당하기 위해서는, (건물) 소유자의 동의가 필요한 것입니다(송덕수, 2019). 현실적으로 건물주가 쉽게 동의를 해주지는 않을 거란 걸 짐작할 수 있습니다.

만약 동의를 받지 않고 임대해서 법정과실을 얻는 경우, 그 이익은 부당이득으로 채무자에게 반환하여야 할 것입니다. 반대로 말하자면, 동의를 받아서 임대를 놓는 경우에는 그 월세에 대해서도 우선변제를 받을 수 있겠죠.

즉 월세와 같은 법정과실에 대해서는 제323조만 보아서는 안 되고, 제324조를 함께 살펴보아야 한다는 겁니다. 그래야 유치권자가 월세를 부당이득으로 돌려줘야 하는지, 아니면 우선변제를 받을 수 있는 건지가 정해집니다.

다음으로 제323조제1항 단서를 봅시다. 여기서는 과실이 금전이 아닌 경우에는 경매를 하여야 한다고 정하고 있습니다. 경매를 해서 돈으로 바꾼 뒤 변제에 충당한다는 것이지요.

다음으로 제323조제2항에서는, '수취한 과실'을 채권의 이자에 먼저 충당하고, 그 다음으로 원본에 충당하도록 정하고 있습니다.

그런데 한 가지 생각해볼 것이 있습니다. 제323조제1항 같은 과실수취권은 왜 인정해 주는 걸까요? 유치권자가 그냥 유치물만 점유하고 있다가 받을 돈만 받고 나가도록 하면 안 되는 걸까요?

그건 내일 공부할 제324조와 관련이 있습니다. 제324조제1항에 따르면 유치권자는 유치물을 선량한 관리자의 주의로 점유해야 하는데, 이건 상당한 부담입니다. 자기 물건처럼 막 쓸 수 없다는 거죠. 책임이 있는 만큼 당근(?)도 주어야 되지 않겠습니까? 그래서 제323조제1항과 같은 우선변제에 대한 규정을 두는 것이 공평하다고 보고 있는 겁니다. 또, 이런 규정이 있다고 해도 어차피 빚을 갚은데(우선변제) 충당하기 때문에 채무자 입장에서도 큰 피해를 보는 것은 아니라는 인식이 깔려 있습니다(박동진, 2022).

오늘은 유치권자의 과실수취권에 대해 공부하였습니다. 그런데 오늘 공부한 제323조는, 제324조와 밀접한 관계가 있는 조문이어서 함께 살펴보면 좋습니다. 내일은 유치권자의 선관의무에 대해 알아보도록 하겠습니다.

*참고문헌

김용덕 편집대표, 「주석민법 물권3(제5판)」, 한국사법행정학회, 2019, 517면(홍동기).

김준호, 「민법강의(제23판)」, 법문사, 2017, 811면.

박동진, 「물권법강의(제2판)」, 법문사, 2022, 404면.

송덕수, 「물권법(제4판)」, 박영사, 2019, 456면.

제324조(유치권자의 선관의무)

①유치권자는 선량한 관리자의 주의로 유치물을 점유하여야 한다.
②유치권자는 채무자의 승낙없이 유치물의 사용, 대여 또는 담보제공을 하지 못한다. 그러나 유치물의 보존에 필요한 사용은 그러하지 아니하다.
③유치권자가 전2항의 규정에 위반한 때에는 채무자는 유치권의 소멸을 청구할 수 있다.

조 제목에 '선관의무'라는 표현이 나오는데, 이는 '선량한 관리자의 주의 의무'를 간략하게 쓴 것입니다. 제324조제1항에서는, 유치권자가 선량한 관리자의 주의를 기울여서 유치물을 점유하여야 한다고 정하고 있습니다.

우리는 선량한 관리자의 의미에 대해 이미 공부한 적이 있었습니다. 바로 민법 총칙 편에서 이사의 주의의무가 그것입니다. 기억이 잘 안 나는 분들은 복습하고 오셔도 좋습니다.

제61조(이사의 주의의무) 이사는 선량한 관리자의 주의로 그 직무를 행하여야 한다.

복습하자면, 선량한 관리자의 주의란 진짜 인간적으로 착하게 살라는 뜻은 아니고요, 보통의 주의력을 가진 사람이 해당 사안에서 통상 가질 것으로 생각되는 주의의 수준을 말합니다. 나중에 민법에

서는 '자기의 재산에 대한 주의'라는 표현들이 나오는데요(제695조, 제922조 등), 선량한 관리자의 주의는 이러한 주의 수준보다도 더 높은 수준의 주의를 뜻합니다. 이러한 주의의무에 위반하는 경우, 과실이 있다고 할 수 있을 것입니다.

제1항으로는 부족하다고 생각했는지, 제2항에서는 보다 구체적으로 내용을 정합니다. 유치권자는 채무자(유치물 소유자)의 승낙 없이 유치물을 사용하거나 대여할 수 없고, 담보로 제공할 수도 없다는 것입니다. 다만, 유치물의 보존에 필요한 사용은 (승낙이 없더라도) 괜찮다고 합니다(제2항 단서). 이와 관련하여 어제 제323조를 공부하면서, 유치물 소유자의 동의도 없이 건물을 임대하고 세를 받는 등의 행위는 허용되지 않고, 설령 그렇게 한다 하더라도 받은 세를 채무자에게 돌려주어야 한다고 했던 바 있습니다.

하지만 세상 사람들이 법에 정한 대로 모두 지킨다면 얼마나 좋겠습니까. 유치권자가 선관의무에 위반하여 유치물을 막 관리하거나, 승낙도 받지 않고 유치물을 사용, 대여하는 일도 얼마든지 발생할 수 있습니다.

그래서 제324조제3항에서는, 제1항이나 제2항에 위반한 행위가 있을 경우 채무자는 유치권의 소멸을 청구할 수 있도록 하고 있습니다. 학설은 이 청구권을 형성권으로 보고 있습니다. 따라서 유치권자는 자신의 유치권을 잃고 싶지 않으면, 제324조제1항과 제2항을 준수해야 할 겁니다.

여기서 한 가지 좀 더 알아볼 것이 있습니다. 제2항 단서에서 말하는 보존 행위는 구체적으로 어떤 것이 있을까요?

우리의 판례는 "민법 제324조에 의하면, 유치권자는 선량한 관리자의 주의로 유치물을 점유하여야 하고, 소유자의 승낙 없이 유치물을 보존에 필요한 범위를 넘어 사용하거나 대여 또는 담보제공을 할 수 없으며, 소유자는 유치권자가 위 의무를 위반한 때에는 유치권의 소멸을 청구할 수 있다고 할 것인바, 공사대금채권에 기하여 유치권을 행사하는 자가 스스로 유치물인 주택에 거주하며 사용하는 것은 특별한 사정이 없는 한 유치물인 주택의 보존에 도움이 되는 행위로서 유치물의 보존에 필요한 사용에 해당한다고 할 것이다. 그리고 유치권자가 유치물의 보존에 필요한 사용을 한 경우에도 특별한 사정이 없는 한 차임에 상당한 이득을 소유자에게 반환할 의무가 있다"라고 합니다(대법원 2009. 9. 24. 선고 2009다40684 판결).

즉, 공사대금을 받지 못한 유치권자가 유치물인 주택에서 직접 살면서 그 집을 사용한 경우에는, 그건 유치물의 보존에 해당하는 것이라고 보는 겁니다.

따라서 채무자(유치물 소유자)는 "너는 내 허락도 받지 않고 내 소유물이자 유치물인 주택에서 마음대로 거주하였다. 너는 제324조

제2항을 위반한 것이므로, 나는 제324조제3항의 유치권 소멸청구를 하겠다. 유치권이 소멸했으니 주택을 돌려줘라." 이렇게 주장할 수 없는 것입니다. 보존 행위에 해당하게 되면, 승낙이 없어도 되기 때문입니다.

다만, 판례의 입장에서 한 가지 주의할 점이 있습니다.

왜냐하면 판례는 유치권자가 주택에 직접 거주하면서 사용하는 것은 '보존'에 필요한 사용이라고 해석하면서도, "유치권자가 유치물의 보존에 필요한 사용을 한 경우에도 특별한 사정이 없는 한 차임에 상당한 이득을 소유자에게 반환할 의무가 있다"라고 하여 주택을 사용한 기간에 해당하는 이득을 채무자에게 되돌려주어야 한다고 보고 있기 때문입니다(제323조에서는 과실수취권을 규정하고 있으므로, 공사대금채권의 변제에 우선 사용된다고 보면, 결국 유치권자는 원래 받아야 할 공사대금에서 일부를 까서 받게 되는 결과가 될 것입니다).

승낙 없이 쓸 수는 있는데 결국엔 주택을 사용한 값을 내놓아야 한다는 결론이어서, 얼핏 보기에는 "이럴 거면 애초에 왜 써도 된다고 하는거지"라는 생각이 들 수도 있습니다. 하지만 돈을 내놓는다고 하더라도, 보존행위로 인정받는 경우에는 제3항에 따른 유치권 소멸청구를 반박할 수 있기 때문에 충분히 의미는 있습니다.

오늘은 유치권자의 선관의무에 대해 알아보았습니다. 단순하게

생각하면 결국 유치권자라고 하더라도 남의 물건을 맡아 두고 있는 사람인만큼, 신경 써서 물건을 관리하여야 한다는 의미임을 알 수 있습니다. 받아야 할 돈을 못 받았다고 해서 보복 심리로 마구 행동해서는 안 되는 것이지요.

내일은 유치권자의 상환청구권에 대해 공부하도록 하겠습니다.

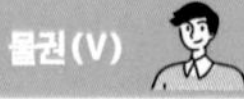

제325조(유치권자의 상환청구권)

①유치권자가 유치물에 관하여 필요비를 지출한 때에는 소유자에게 그 상환을 청구할 수 있다.
②유치권자가 유치물에 관하여 유익비를 지출한 때에는 그 가액의 증가가 현존한 경우에 한하여 소유자의 선택에 좇아 그 지출한 금액이나 증가액의 상환을 청구할 수 있다. 그러나 법원은 소유자의 청구에 의하여 상당한 상환기간을 허여할 수 있다.

오늘 공부할 제325조는 유치권자의 상환청구권에 관한 내용입니다. 사실 상환청구권에 대해서는 우리가 여러 차례 살펴본 적이 있기 때문에, 이제는 좀 익숙하실 겁니다. 대표적으로 아래의 조문들에서 우리는 필요비와 유익비의 상환청구권에 대해 공부하였던 바 있습니다. 따라서 필요비, 유익비 등의 개념에 대해서 다시 말씀드리지는 않겠습니다.

제203조(점유자의 상환청구권) ①점유자가 점유물을 반환할 때에는 회복자에 대하여 점유물을 보존하기 위하여 지출한 금액 기타 필요비의 상환을 청구할 수 있다. 그러나 점유자가 과실을 취득한 경우에는 통상의 필요비는 청구하지 못한다.
②점유자가 점유물을 개량하기 위하여 지출한 금액 기타 유익비에 관하여는 그 가액의 증가가 현존한 경우에 한하여 회복자의 선택에 좇아 그 지출금액이나 증가액의 상환을 청구할 수 있다.
③전항의 경우에 법원은 회복자의 청구에 의하여 상당한 상환기간을

허여할 수 있다.

제310조(전세권자의 상환청구권) ①전세권자가 목적물을 개량하기 위하여 지출한 금액 기타 유익비에 관하여는 그 가액의 증가가 현존한 경우에 한하여 소유자의 선택에 좇아 그 지출액이나 증가액의 상환을 청구할 수 있다.

②전항의 경우에 법원은 소유자의 청구에 의하여 상당한 상환기간을 허여할 수 있다.

제325조제1항은, 유치권자가 필요비를 지출한 경우 소유자에게 돌려달라고(상환청구) 할 수 있음을 정합니다. 필요비의 경우, 전액을 상환받을 수 있습니다. 반면 유익비의 경우는 조금 다릅니다. 제2항에 따르면, 유익비의 경우에는 '그 가액의 증가가 현존한 경우'에 한하여 지출한 금액 또는 증가액의 상환을 청구할 수 있습니다.

한 가지 여기서 궁금한 점이 생길 수 있습니다. 예를 들어 자동차 수리공인 영희가 유치권자이고, 견련성 있는 채권(자동차 수리대금 채권)에 관하여 철수의 자동차를 점유하고 유치권을 행사하고 있다고 해봅시다. 그런데 영희는 이 자동차를 점유하면서 부득불 필요비 1천만원을 지출하였다고 합시다.

영희는 철수에게 (원래 받아야 했던) 자동차 수리대금 채권 외에 필요비 채권도 있는 셈이 됩니다. 만약 철수가 필요비 1천만원은 상환하지 않으면서, 자동차 수리대금만을 갚은 경우 영희는 철수의 자동차를 돌려주어야 하는 것일까요? 아니면, 아직 필요비는 못 돌려 받았으니까 여전히 자동차를 가지고 있을 수 있는 것일까요?

가능하다고 봅니다. 사실 필요비건, 유익비건(유익비의 경우 가액의 증가가 현존한 경우) 그것은 유치물에 관하여 생긴 채권이라고 볼 수 있습니다. 견련성이 인정되는 것이지요. 즉, 그 채권의 변제를 받을 때까지 별도로 유치권을 취득한다고 볼 수 있습니다.

다만, 제325조제2항 단서에 따라 법원이 따로 유익비의 상환기간을 허여하는 경우, 그 유익비에 대해서는 유치권을 주장할 수 없습니다(김준호, 2017). 왜냐하면, 상환기간이 따로 주어지는 경우에는 그 유익비에 대한 청구권은 변제기가 아직 도달하지 않은 것과 마찬가지이기 때문입니다. 우리가 유치권의 성립요건을 공부할 때, (피담보)채권의 변제기가 도래할 것을 요구하였던 것을 떠올려 보시기 바랍니다.

오늘은 유치권자의 상환청구권에 대해 알아보았습니다. 내일은 피담보채권의 소멸시효에 대해 살펴보도록 하겠습니다.

*참고문헌

김준호, 「민법강의(제23판)」, 법문사, 2017, 812면.

제326조(피담보채권의 소멸시효)

유치권의 행사는 채권의 소멸시효의 진행에 영향을 미치지 아니한다.

'피담보채권'이라는 말이 나옵니다. 얼핏 보기에는 난해한 단어입니다만, 사실 우리는 이 개념을 이미 한동안 사용해 오고 있었습니다. 피담보채권(被擔保債權)에서 '피'라는 한자는 '~당하다'의 의미로 자주 사용됩니다.

예를 들어 영어 공부를 할 때 피동태를 공부한 적이 있지 않나요? 그리고 우리는 피성년후견인 같은 개념도 총칙에서 공부하였던 바 있습니다. 그렇다면 단순하게 추측할 때 피담보채권이란 무언가 '담보를 당하는 채권' 정도의 의미로 예상할 수 있을 것입니다. 실제 의미도 크게 다르지 않습니다. 피담보채권이란, 담보에 의하여 보호를 받는 채권을 말합니다.

제326조는 유치권을 행사한다고 하더라도, 채권의 소멸시효는 진행한다고 정하고 있습니다. '유치권의 소멸시효'가 아니라 '채권의 소멸시효'입니다. 주의하세요.

우리는 민법 총칙에서 채권의 소멸시효에 대하여 공부한 적이 있었습니다. 채권은 원칙적으로 10년간 행사하지 않으면 소멸시효가 완성되어 없어지게 되고(제162조), 그 밖에 단기소멸시효(3년 또는 1년)가 적용되는 채권들도 있다고 했습니다(제163조 및 제164조).

기억이 안 나시는 분들은 복습하고 오셔도 좋습니다.

> 제162조(채권, 재산권의 소멸시효) ①채권은 10년간 행사하지 아니하면 소멸시효가 완성한다.
> ②채권 및 소유권 이외의 재산권은 20년간 행사하지 아니하면 소멸시효가 완성한다.
> 제163조(3년의 단기소멸시효) 다음 각호의 채권은 3년간 행사하지 아니하면 소멸시효가 완성한다.
> 1. 이자, 부양료, 급료, 사용료 기타 1년 이내의 기간으로 정한 금전 또는 물건의 지급을 목적으로 한 채권
> (이하 생략)

이렇게 말하면 와 닿지 않으니, 예를 들어 보겠습니다. 나부자는 철수와 도급계약을 맺고, 자기 땅에 건물을 지어 달라고 부탁하였습니다. 철수는 열심히 일하여 건물을 완성하였지만, 나부자는 약속한 공사대금 1억원을 주지 않았습니다. 이에 철수는 완성된 건물에 대하여 유치권을 행사하였습니다. 이 경우 철수가 가진 '1억원의 공사대금 채권'이 바로 유치권에 의하여 담보를 받는 피담보채권이라고 할 수 있을 것입니다.

철수가 가진 1억원의 채권은 민법 제163조에 따른 3년의 단기소멸시효에 걸리는 채권이라고 가정합시다. 그런데 철수는 이렇게 생각합니다. "법은 권리 위에 잠자는 사람을 보호하지 않지. 하지만 나는 나부자의 건물을 점유해서 유치권을 행사하고 있어. 권리 위에

잠자고 있지 않단 말이야. 따라서 소멸시효는 진행하지 않을 것이고, 안심하고 있어도 되겠군."

그리고 3년이 경과합니다(3년이나 건물을 점유한 철수도, 끝내 돈을 갚지 않은 나부자도 대단합니다). 그러면 소멸시효로 철수의 채권은 소멸합니다. 피담보채권의 소멸과 함께 유치권도 소멸합니다. 피담보채권이 없으면 담보물권인 유치권이 존속할 이유가 없으니까요. 철수는 이제 건물을 나부자에게 돌려주어야 합니다.

왜 이런 일이 벌어지는 걸까요? 철수(채권자)가 제326조를 간과하였기 때문입니다. 제326조는 유치권을 행사한다고 해서 피담보채권의 소멸시효가 진행하는 것을 막을 수 없다고 명시하고 있습니다. 즉, 우리 민법은 '유치권을 행사하는 것'과 '채권을 행사하는 것'은 다르다고 보고 있는 것입니다. 단순히 물건을 유치하고 있는 것만으로는, 채권을 행사한다고 볼 수 없다는 것이지요.

오늘은 피담보채권과 그 소멸시효에 대해 알아보았습니다. 내일은 다른 담보의 제공과 유치권의 소멸에 관하여 공부하도록 하겠습니다.

제327조(타담보제공과 유치권소멸)

채무자는 상당한 담보를 제공하고 유치권의 소멸을 청구할 수 있다.

유치권은 본질적으로 채권을 변제받을 때까지 물건을 점유하고 인도를 거절할 수 있는 권리입니다. 바꿔 말하면, 채권의 담보가 보장된다면 굳이 해당 물건의 점유만을 고집할 필요는 없습니다. 그래서 제327조는 채무자가 상당한 담보를 제공하면 유치권의 소멸을 청구할 수 있도록 하고 있습니다.

예를 들어 보겠습니다. 영희는 철수의 자동차를 수리해 주었지만 수리비를 받지 못했습니다. 그래서 수리비 대금채권을 담보하기 위하여 철수의 자동차를 유치하였습니다. 그런데 철수가 급한 사정이 생겨서, 꼭 그 자동차를 써야 할 일이 생겼습니다. 영희 입장에서는, "그렇게 자동차가 쓰고 싶으면 수리비 갚고 찾아가라."라고 하면 되지만, 아쉽게도 지금 철수에게 현금이 별로 없습니다.

이런 경우, 철수는 자신이 가진 고급 시계를 영희에게 대신 담보로 제공하고 자동차를 돌려받을 수 있을 것입니다. 단, 여기서 철수가 제공하는 고급 시계는 적어도 영희의 채권액에 상당하는 가치의 담보가 되어야 할 것입니다. 영희가 받아야 할 수리비는 1천만원인데, 시계의 값은 5백만원 정도에 불과하다면 영희 입장에서는 자동차를 되돌려줄 이유가 전혀 없겠지요.

한편, 주의할 점이 있습니다. 만약 자동차의 값이 2천만원이고, 수리비가 1천만원이라고 해봅시다. 철수도 굳이 2천만원 상당의 담보를 제공해야만 자동차를 찾을 수 있는 것일까요? 그렇지 않습니다. 철수는 영희의 수리비 채권을 담보할 수 있을 정도의 담보를 제공하기만 하면 됩니다. 담보의 가치는 결국 '자동차'가 아니라 '채권액'이 되어야 한다는 것이지요. 그게 공평합니다. 영희에게는 유치권이 인정되는 것이지, 자신이 가진 채권액을 훌쩍 넘는 물건을 유치해서 뽕을 뽑을(?) 권리가 있는 것은 아닙니다.

우리의 판례 역시 제327조에서 말하는 '상당한 담보'의 의미에 대하여, "민법 제327조에 의하여 제공하는 담보가 상당한가의 여부는 그 담보의 가치가 채권의 담보로서 상당한가, 태양에 있어 유치물에 의하였던 담보력을 저하시키지는 아니한가 하는 점을 종합하여 판단하여야 할 것인바, 유치물의 가격이 채권액에 비하여 과다한 경우에는 채권액 상당의 가치가 있는 담보를 제공하면 족하다고 할 것이고, 한편 당해 유치물에 관하여 이해관계를 가지고 있는 자인 채무자나 유치물의 소유자는 상당한 담보가 제공되어 있는 이상 유치권 소멸 청구의 의사표시를 할 수 있다."라고 하여 같은 입장에 서 있습니다(대법원 2001. 12. 11. 선고 2001다59866 판결).

따라서 철수는 상당한 담보를 제공하고 영희(채권자)에게 물건을 되돌려줄 것을 승낙하여 달라고 해야 합니다. 영희가 승낙하고 자동차를 돌려주면 됩니다. 다만, 채권자인 영희가 끝내 거절하는 경우

에는 어쩔 수 없이 소송으로 가서 승낙에 갈음하는 판결을 받을 수 밖에 없겠지요(김준호, 2017).

오늘은 다른 담보를 제공하고 유치권을 소멸시키는 방법에 대해 알아보았습니다. 내일은 점유의 상실로 인한 유치권의 소멸에 대해 공부하도록 하겠습니다.

*참고문헌

김준호, 「민법강의(제23판)」, 법문사, 2017, 814면.

제328조(점유상실과 유치권소멸)

유치권은 점유의 상실로 인하여 소멸한다.

제328조는 어찌 보면 당연한 규정입니다. 유치권은 목적물을 점유하고, 되돌려주는 것을 거절함으로써 채권의 변제를 사실상 강제하는 권리입니다. 그런데 일단 목적물을 점유하지 못한다면, 유치권의 기능은 무력해지게 됩니다. 그래서 제328조는 유치권은 점유의 상실로 소멸한다고 정하고 있습니다. 그럴듯하게 표현하자면 점유는 유치권의 성립요건이자 존속요건이라고 할 수 있는 것입니다.

그런데 여기서 이런 생각을 해볼 수 있습니다. "유치권은 점유의 상실로 소멸한다고? 그럼 유치권에 의해서 물건을 돌려받지 못하고 있는 채무자는 그냥 물건을 빼앗아 오면 되지 않을까? 그러면 상대방의 유치권은 소멸하고, 상대방은 유치권이 없으니까 내가 물건을 되찾은 것도 적법하겠지. 유치권도 별 거 아니네."

일견 맞는 말입니다. 예를 들어 공사대금을 받지 못해 완성된 건물을 점유하고 있는 건축업자(유치권자)를 부동산 소유자가 사람을 동원해(?) 쫓아내 버린다면, 민법 제328조에 따라 건축업자는 유치권을 상실하게 될 것입니다.

그러나 이걸 그냥 내버려 둔다면 유치권 제도 자체가 유명무실하게 되겠지요. 우리가 공부했던 조문들을 떠올려 보세요. 바로 민법

제204조에서 공부한 점유물반환청구권입니다.

제204조(점유의 회수) ①점유자가 점유의 침탈을 당한 때에는 그 물건의 반환 및 손해의 배상을 청구할 수 있다.
②전항의 청구권은 침탈자의 특별승계인에 대하여는 행사하지 못한다. 그러나 승계인이 악의인 때에는 그러하지 아니하다.
③제1항의 청구권은 침탈을 당한 날로부터 1년내에 행사하여야 한다.

제204조제1항에 따르면, 점유를 침탈당한(점유자의 의사에 반하여 점유를 빼앗긴 경우) 점유자는 그 물건의 반환 및 손해배상을 청구할 수 있습니다. 따라서 건축업자는 곧바로 건물 소유자를 상대로 점유물반환청구소송을 제기하여, 건물을 되돌려 받고 점유를 회복하여야 합니다(제204조제2항에 따르면 선의의 특별승계인에게는 점유물반환청구권을 행사할 수 없기 때문에, 실무적으로는 아마 소제기 전에 점유이전금지가처분을 신청할 것입니다).

그리고 역시 우리가 이미 공부했던 민법 제192조제2항 단서에 따르면, 제204조에 따라 점유를 회복한 경우에는 점유를 상실하지 않았던 것으로 쳐주므로, 처음부터 유치권도 소멸하지 않았던 셈이 됩니다. 다만, 점유물 반환을 받기 전까지는 소멸한 것으로 보므로 주의해야 합니다.

제192조(점유권의 취득과 소멸) ①물건을 사실상 지배하는 자는 점유

권이 있다.
②점유자가 물건에 대한 사실상의 지배를 상실한 때에는 점유권이 소멸한다. 그러나 제204조의 규정에 의하여 점유를 회수한 때에는 그러하지 아니하다.

甲 주식회사가 건물신축 공사대금 일부를 지급받지 못하자 건물을 점유하면서 유치권을 행사해 왔는데, 그 후 乙이 경매절차에서 건물 중 일부 상가를 매수하여 소유권이전등기를 마친 다음 甲 회사의 점유를 침탈하여 丙에게 임대한 사건이 있었습니다. 대법원은 이 사안에서 다음과 같이 판단했습니다.

乙의 점유침탈로 甲 회사가 점유를 상실한 이상 유치권은 소멸하고, 甲 회사가 점유회수의 소를 제기하여 승소판결을 받아 점유를 회복하면 점유를 상실하지 않았던 것으로 되어 유치권이 되살아난다는 것입니다. 이러한 방법으로 점유를 회복하기 전에는 유치권이 되살아나는 것이 아님에도 불구하고, 원심판결에서는 甲 회사가 상가에 대한 점유를 회복하였는지를 심리하지 아니한 채 점유회수의 소를 제기하여 점유를 회복할 수 있다는 사정만으로 甲 회사의 유치권이 소멸하지 않았다고 보았으므로 문제가 있다는 것입니다. 이에 원심판결을 파기하는 판결을 하였던 바 있습니다(대법원 2012. 2. 9. 선고 2011다72189 판결).

드디어 우리는 유치권에 대해 모두 살펴보았습니다. 내일부터는 새로운 담보물권. 바로 질권을 공부합니다.

"내 물건을 맡기고
돈을 빌리는 방법은 뭘까요?
다음 장부터 알아봅니다."

Part 8.

제8장, 질권
제1절, 동산질권

제329조(동산질권의 내용)

동산질권자는 채권의 담보로 채무자 또는 제삼자가 제공한 동산을 점유하고 그 동산에 대하여 다른 채권자보다 자기채권의 우선변제를 받을 권리가 있다.

오늘부터 물권편의 제8장, [질권]을 공부합니다. 그리고 제8장은 2개의 절로 구성되어 있습니다. 제1절이 지금부터 우리가 공부할 [동산질권]이고요, 제2절은 [권리질권]입니다. 이러한 구성을 통해서 우리는 질권에는 동산질권과 권리질권이라는 두 종류가 존재한다는 것을 알 수 있습니다.

먼저 제329조에 들어가기 전에 '질권'이라는 것은 뭔지 한번 생각해 봅시다. 사실 '질'이라는 단어도 현실에서 자주 사용하는 한자도 아니고, 얼핏 들어서는 무슨 뜻인지 알기 어렵습니다. 뭔가 권리이기는 한 것 같은데. 질권(質權)에서 '질'(質)이라는 한자를 검색해 보면, '바탕 질'이라고 나옵니다. 그런데 바탕이라는 뜻으로 직역하면 질권의 의미가 명쾌하게 드러나지 않지요.

좀 더 자세히 검색해 보면, '질'이라는 한자에는 '바탕'이라는 의미뿐 아니라 '저당물, 저당잡히다'의 의미도 있습니다. 우리가 가끔 '인질'이라는 표현을 쓰기도 하잖아요? 누군가를 볼모로 잡는다는 것인데, 이때 사용하는 한자 '질'도 여기서의 '질'(質)입니다. 일단 제가 한자 전문가는 아니기 때문에, 아래 온라인 한자사전의 설명을

첨부하도록 하겠습니다. '질'이라는 글자가 갖는 대략의 의미 정도만 이해하시면 됩니다.

> 質자는 '품질'이나 '본질', '저당물'이라는 뜻을 가진 글자이다. 質자는 貝(조개 패)자와 斦(모탕 은)자가 결합한 모습이다. 斦자는 두 자루의 도끼를 그린 것이다. 質자는 본래 '저당물'을 뜻했던 글자였다. 저당물이란 돈을 빌리기 위해 임시로 맡기는 물건을 말한다. 그래서 두 자루의 도끼를 그린 斦자는 '저당물'을 의미하고 貝자는 현금을 뜻한다. 그러니까 質자는 저당물을 맡기고 돈을 빌리는 모습을 표현한 것이다. 돈을 빌려주는 사람은 담보로 맡는 저당물의 가치를 확인해야 했다. 그래서 質자는 '저당물'이라는 뜻으로 쓰이다가 후에 '본질'이나 '품질'을 뜻하게 되었다(네이버 한자사전).

결국 질권이라는 것은 물건을 어떻게든 저당 잡는 권리인 것 같습니다. 다만, 주의해야 할 것은 여기서 '저당'이라는 표현을 쓰고 있다고 해서 뒤에 나올 '저당권'과 동일한 권리라고 해석해서는 안된다는 점입니다. 지금 '저당'이라는 표현을 쓴 것은 편의상 사용한 것일 뿐, 법적인 의미에서 저당권을 행사하였다는 뜻은 아니기 때문입니다.

그렇다면 이제 제329조를 봅시다. 여기서는 동산질권을 정의하고 있는데, 동산질권자는 채권의 담보로 채무자 또는 제3자가 제공한 동산을 점유하고, 그 동산에 대하여 다른 채권자보다 자기 채권을 우선하여 변제받을 권리가 있다고 합니다. 즉, '질권'이 '동산'에 적용되면 동산질권인 것입니다. 동산이라고 명시되어 있으니까, 부동산은 안 됩니다.

예를 들어 보겠습니다. 김가난은 돈이 없어 굶주렸습니다. 그는 급한 대로 이웃의 나부자를 찾아가 1천만원을 돈을 빌리려고 합니다. 하지만 나부자는 김가난이 돈을 갚을 수 있는지 의심이 들었기 때문에, 담보를 요구하였습니다. 이에 김가난은 조상 대대로 내려오는 가보인 금반지(동산)를 나부자에게 넘기고(동산의 인도), 질권 설정계약을 합니다.

그러면 채권자는 나부자, 채무자는 김가난, 질물(질권의 대상이 되는 물건을 말합니다)은 금반지, 채권액은 1천만원이 됩니다. 나부자(채권자, 질권자)는 김가난(채무자, 질권 설정자)으로부터 받은 금반지를 보관해 두고(점유), 1천만원의 채권을 변제받을 때까지 금반지를 유치할 수 있으며, 만약 김가난이 돈을 갚지 않는다면 금반지를 경매 등에 부쳐서 우선적으로 변제를 받을 수 있게 됩니다. 이것이 바로 동산질권입니다.

"도대체 유치권과 차이점이 뭐야?" 이런 생각이 드실 수도 있을 것입니다. 물건을 받아서 유치한다는 점에서 동산질권과 유치권은 비슷해 보이는 측면이 있습니다만, 사실 두 개념은 명확하게 구별되는 것입니다.

①먼저 동산질권과 유치권은 둘 다 담보물권이라는 점에서는 같

지만, 유치권은 법률의 규정에 따라 (요건을 갖추면) 당연히 성립하는 법정 담보물권이고, 동산질권은 당사자 간의 계약과 동산의 인도에 의하여 성립하는 약정 담보물권이라는 차이점이 있습니다.

②또한, 유치권은 (우리가 자주 예로 들었던 공사대금과 건물 사례에서처럼) 부동산을 목적으로 성립할 수 있지만, 동산질권은 이름 그대로 동산에만 성립하고 부동산에는 적용되지 않습니다.

③유치권과 동산질권 모두 물건을 점유하고, 유치할 수 있는 권리입니다만(유치적 효력), 유치권에는 민법상 명시적인 우선변제권이 주어지지 않은 반면, 동산질권에는 제329조에 적혀 있듯이 우선변제권이 부여됩니다. 유치권에 우선변제권이 없다는 이야기는 유치권 파트에서 이미 공부하였으므로, 기억이 잘 안 나는 분들은 복습하고 오셔도 좋겠습니다.

*우선변제권과 관련하여, 동산질권에는 물상대위성(담보물의 교환가치가 변형된 경우, 이에 대해서도 담보물권의 효력이 여전히 미친다는 성질)이 이 인정되지만 유치권에는 인정되지 않는다는 차이점이 있습니다. 물상대위성은 우선변제효가 있는 담보물권에만 인정되기 때문에 유치권에는 물상대위성이 없고, 동산질권에는 있는 것인데요(박동진, 2022). 이 부분은 추후에 다시 관계 조문을 공부할 것이므로 여기서는 일단 넘어가도록 하겠습니다.

자, 그러면 이제 동산질권이 어떻게 성립되는지, 성립요건을 중심

으로 알아보도록 하겠습니다.

*질권을 저당권과 비교해 보는 것도 꽤 학습에 도움이 됩니다. 질권은 저당권과 달리 선의취득이 가능하다는 등 대비하는 특징들이 있거든요. 하지만 아직 저당권 부분을 살펴보지 않았으니, 이 부분은 나중에 저당권 파트 도입부에서 논의하는 것으로 하겠습니다.

1. 동산질권을 설정하는 계약이 있어야 한다.

약정담보물권이니까, 당사자 간에 계약이 체결되면 됩니다. 돈을 빌리는 사람(채무자)과 빌려주는 사람(채권자)이 있을 거고요. 채무자가 직접 자기 소유의 동산에 질권을 설정할 수도 있고, 혹은 채무자의 친한 친구 같은 제3자가 채무자를 위하여 동산을 담보로 제공할 수도 있을 것입니다. 만약 채무자와 담보제공자가 다른 사람인 경우, 담보제공자를 통상 물상보증인이라고 부릅니다. 간단히 얘기하면, 다른 사람의 빚을 보증하기 위해서 자기 물건을 내놓는 사람이라는 뜻이지요.

철수가 나부자에게 1억원을 빌리는데, 철수의 애인인 영희가 철수를 위하여 보석을 제공하고, 그 보석에 질권을 설정하도록 했다고 합시다. 이 경우 철수는 채무자, 나부자는 채권자이자 질권자이며, 영희는 물상보증인이자 질권설정자가 될 것입니다. 질권설정계약은 나부자와 영희 사이에 체결된 것으로 보게 됩니다.

*다만, 아주 예외적으로 '법정질권'이라는 개념이 민법에 있기는 합니다(제648조 등). 이 부분은 나중에 해당 파트에서 살펴보기로 합니다. 지금 살펴보는 질권은 모두 약정담보물권이라고 보시면 되겠습니다.

2. 양도할 수 있는 동산을 목적물로 하여야 한다.

이 부분은 곧 살펴볼 제331조와 관련된 내용입니다. 해당 파트에서 자세히 다루겠습니다.

3. 목적이 되는 동산을 인도하여야 한다.

우리는 전에 동산의 물권변동과 인도에 대하여 공부한 적 있습니다(해당 파트 참조). 그리고 우리는 인도의 4가지 방법에 대해서 알고 있지요. 기억하십니까?

가장 간단하게는 위 사례에서 영희가 나부자에게 금반지를 직접 건네어 주면 인도가 있는 것입니다(현실의 인도). 만약 나부자가 모종의 사유로 영희의 금반지를 이미 수중에 갖고 있는 상태라면, 그냥 그 상태를 유지하는 것으로 합의해도 인도가 있었다고 볼 수 있습니다(간이인도).

그러나, 점유개정의 방식으로는 동산질권을 취득할 수 없으므로 주의하셔야 합니다. 그 이유는 사실 나중에 살펴볼 제332조 때문인데요, 해당 파트에서 자세히 알아보도록 하겠습니다.

목적물반환청구권의 양도에 의해서 동산질권이 성립할 수 있는가, 이런 의문도 있을 수 있는데 학계의 통설은 가능하다고 보고 있습니다. 그러니까 다른 누군가가의 영희의 금반지를 소지하고 있고, 영희는 그 사람에 대한 반환청구권을 나부자에게 넘겨주는 방식으로 동산질권을 설정할 수도 있다는 것입니다.

다만, 이러한 통설에 대해서는 비판도 있습니다. 반환청구권의 양도라는 방식도 점유개정과 유사하게 외부에서 점유이전을 알아차리기 어려운 방법이므로, 동산질권설정은 불가능하다고 보아야 한다는 것이지요(박동진, 2022:419면).

4. 피담보채권이 존재하여야 한다.

당연한 이야기지만 동산질권도 담보물권이니까요. 피담보채권이 있어야 합니다. 동산질권으로 담보되는 채권이 있어야 한다는 겁니다. 위 사례에서는 나부자가 철수에게 갖는 1억원의 채권이 바로 피담보채권이 될 것입니다. 참고로, 학계의 통설은 지금 당장은 없더라도 장래에 성립할 채권이라고 하더라도, 이를 피담보채권으로 하여 질권이 성립하는 것도 가능하다고 보고 있습니다(김준호, 2017).

오늘은 동산질권에 대하여 공부하였습니다. 사실 질권이라는 것이, 일상적으로 누구나 갖고 있는 '동산'(부동산은 사실 아무나 소유하고 있지는 않지요)을 대상으로 하는 경우가 많아, 소위 서민금융의 대표적인 예시로 오랫동안 사용되어 왔습니다.

옛날 소설이나 영화를 보면, (법리적으로 완전한 질권에 해당하지는 않더라도) 시계나 가문 대대로 내려오는 물건 같은 것을 맡기고 돈을 빌리는 모습들을 흔히 보셨을 겁니다.

하지만 요즘에는 은행에서 각종 대출상품이 쏟아지고 있고, 대체로 자신의 신용을 바탕으로 대출을 받는 경우가 늘다보니 질권이라는 것 자체가 점점 덜 사용되고 있기는 합니다. 특히 동산질권의 경우 현실에서 사용되는 사례가 점점 줄어들고 있습니다.

그리고 기업의 입장에서는 가치 있는 동산(기계나 설비 등)을 맡기고 돈을 빌릴 경우, 점유를 넘겨주어야 한다는 문제가 있습니다(나중에 살펴보겠지만, 점유개정의 방식으로는 질권설정이 안됨). 기업이 결국엔 돈을 벌려고 돈을 빌리는 것인데, 돈을 빌리자고 돈 벌 수 있는 필수 수단을 맡긴다는 것은 앞뒤가 안 맞습니다. 그 결과 동산질권은 잘 사용되지 않고 있으며, 양도담보 또는 소유권 유보부 매매 같은 것이 오히려 더 많이 사용되고 있습니다. 이에 동산질권은 사실상 기업금융수단으로서의 기능을 거의 상실하였고, 오히려 권리질권이 기업금융수단으로서 기능하고 있다고 평가되기도 합니다(이태종, 2019). 권리질권과 같은 개념은 추후 살펴볼 예정이니 지금은 일단 그냥 넘어가셔도 좋습니다.

결국 질권은 저당권 같은 것에 비해서 현실에서 자주 접하지 않게 되어 상대적으로 관심이 덜하고, 용어 자체도 생소해서 어렵게 느끼는 분들이 많은데요, 여기서는 일단 어떤 의미의 물권인지 정도만 이해하시면 충분할 듯합니다.

내일은 설정계약의 요물성에 관하여 살펴보도록 하겠습니다.

*참고문헌

김준호, 「민법강의(제23판)」, 법문사, 2017, 824면.

네이버 한자사전,

https://hanja.dict.naver.com/hanja?q=%E8%B3%AA&cp_code=0&sound_id=0, 2024.1.23. 방문.

박동진, 「물권법강의(제2판)」, 법문사, 2022, 378면.

김용덕 편집대표, 「주석민법 물권3(제5판)」, 한국사법행정학회, 2019, 561-566면(이태종).

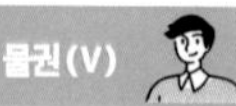

제330조(설정계약의 요물성)

질권의 설정은 질권자에게 목적물을 인도함으로써 그 효력이 생긴다.

단어가 조금 난해합니다. 조 제목이 '설정계약의 요물성'인데, 요물, 요사스러운 동물이라는 말을 들어본 것 같긴 하지만 뭔가 여기서 말하는 뜻은 아닌 듯합니다. 요물성(要物性)은, 직역하자면 대충 "물건을 필요로 한다"는 뜻입니다.

사실 우리가 지금까지 공부해 온 '계약'에는 2가지 종류가 있습니다. 하나는 계약 당사자 간의 합의만으로 계약이 깔끔하게 성립하는 것으로서, 이러한 계약을 낙성계약(諾成契約)이라고 합니다. 단어가 생소하기는 한데, 대충 번역해서 승낙함으로써 성립되는 계약이라고 생각하겠습니다. 우리가 생각하는 대부분의 계약의 형태가 이러한 낙성계약에 해당합니다.

예를 들어 철수가 자신의 만년필을 영희에게 팔기로 매매계약을 체결하였다면, 딱히 철수가 만년필을 영희에게 실제로 건네지 않았더라도 '계약의 체결' 자체에는 아무런 문제가 없습니다. 철수가 제안하고, 영희가 승낙함으로써 계약은 간단하게 성립하는 것입니다.

반면, 낙성계약과 달리 당사자의 합의에 더하여 물건의 인도와 같은 별도의 급부가 있어야 성립하는 계약이 있는데 이러한 계약을 요물계약이라고 합니다. 즉, 당사자 간에 합의가 있었다고 해도 그것만으로 계약이 성립한다고 볼 수는 없고, 플러스 알파가 있어야 한다는 것입니다.

요물계약의 대표적인 사례가 바로 현상광고입니다. 예를 들어 보겠습니다. 나부자는 자신이 아끼던 지갑을 잃어버렸습니다. 그래서 지하철에 광고문을 붙이고, "내 지갑을 찾아 주시는 분께는 사례로 100만원을 드리겠습니다. 연락처(나부자: 010-1111-1111)"라고 써 놓았습니다. 만약 지나가던 김거지가 나부자의 지갑을 찾아 돌려준다면, 나부자는 약속대로 김거지에게 100만원을 주어야 합니다.

"이런 것도 계약이라고 하나요?"

네, 계약이라고 합니다. 물론 단독행위라는 학자들도 있습니다(단독행위와 계약에 관하여는 [민법총칙] 파트 참조). 하지만 우리의 다수설은 위와 같은 현상광고도 계약의 일종으로 봅니다. 다만, 중요한 것은 위의 사례에서 김거지가 지나가다가 광고문을 읽은 것만으로는 현상광고의 계약이 성립하지 않는다는 것입니다.

설령 김거지가 "좋아, 지갑을 찾아서 꼭 100만원을 타야지."라고 결심하고 하루 종일 지갑을 찾아 헤맸다고 하더라도, 계약이 성립하는 것은 아닙니다. 김거지가 나부자에게 100만원을 요구할 수 있는 것은, 바로 김거지가 지갑이라는 물건을 나부자에게 찾아주는 바로 그 순간부터입니다. 이것이 바로 요물계약입니다.

자, 이제 민법 제330조로 돌아가 봅시다. 질권의 설정은 질권자

에게 목적물을 인도함으로써 효력이 발생한다고 합니다. 어찌 보면 당연한 말입니다. 왜냐하면, 우리는 다음과 같은 내용을 이미 공부하였기 때문입니다(제188조).

제188조(동산물권양도의 효력, 간이인도) ①동산에 관한 물권의 양도는 그 동산을 인도하여야 효력이 생긴다.
②양수인이 이미 그 동산을 점유한 때에는 당사자의 의사표시만으로 그 효력이 생긴다.

질권을 설정하는 계약도 법률행위에 의하여 동산물권이 변동하는 것이므로, 제188조에 따라 동산을 인도하여야 효력이 발생하는 것입니다. 제188조로 충분할 것 같은데, 왜 굳이 우리 민법은 제330조를 따로 만들어 두었을까요? 그래서 제330조의 해석을 놓고 학계의 논란이 있었습니다.

*해석에 주의할 점이, 요물계약의 개념 정의는 당사자의 합의뿐 아니라 물건의 인도 등 별도의 급부까지 있어야 '성립'하는 계약이라는 것입니다. 그런데 오늘 공부하는 민법 제330조는 물건의 인도에 따라 계약이 '성립'한다고 하지 않고 '효력이 생긴다'라고 하고 있습니다. 결국 제330조에서 명시적으로 "질권설정계약은 요물계약이다"라고 말한 것은 아닙니다. 다만, 학자들 입장에서는 입법자의 의도가 궁금하다는 거죠.

어떤 학자들은, 제330조가 우리 민법이 옛날 민법의 의사주의를 버리고 성립요건주의로 전환한 것을 망각하고, 의사주의를 취한 옛날 민법 규정을 그대로 답습한 '입법상의 오류'이므로, 제330조는 추후 민법 개정으로 삭제하여야 하고 따라서 제330조에도 불구하고 질권설정계약을 요물계약으로 해석할 수는 없다고 합니다(정병호, 2016).

반면, 어떤 학자들은 민법 제188조에서는 동산에 관한 물권의 '양도'라고만 규정했지 '설정'이라고는 하지 않았으므로, 제188조에 빠진 부분을 제330조가 채워 주고 있는 것이라고 보기도 하고(김준호, 2017), 어떤 학자들은 질권설정계약을 요물계약으로 해석하기도 합니다.

어쨌거나, 설령 질권설정계약을 요물계약으로 해석한다고 하더라도 제330조의 제목이 '설정계약의 요물성'으로 되어 있는 것은 부적절하므로 고쳐야 한다는 지적도 있습니다(강태성, 2005).

이렇게 학설이 찬성과 반대 의견 등으로 복잡한데, 여기서 모두 이해하실 필요는 없고 그냥 참고로만 알아 두시면 좋을 듯합니다. 지금 상태에서는 그냥 질권설정계약을 했으면, 그 질물(제330조에서는 '목적물'이라고 표현)을 인도함으로써 효력이 생긴다는 내용 자체만 기억하고 넘어가시면 되겠습니다.

*강태성(2005)는 질권의 객체는 '질물'이므로, '질물'이 '질권의 목적'

인데, 현행법에서는 ‘목적물'이라는 표현을 쓰고 있어서 의미상 '질물물'이라고 쓰는 것과 다를 바 없어 적절하지 않다고 지적하였습니다. 그래서 ‘목적물’이라는 표현 대신 ‘동산’이라고 쓰자는 주장인데, 재미로 읽어 보시면 좋을 듯합니다.

오늘은 낙성계약과 요물계약의 개념, 질권설정계약의 요물성에 대한 학설의 논쟁 등을 알아보았습니다. 내일은 질권의 목적물에 대해 알아보겠습니다.

*참고문헌

강태성, “민법 제2편(물권)의 개정”, 한국재산법학회, 재산법연구 제21권 제2호, 2005, 37면.

김준호, 「민법강의(제23판)」, 법문사, 2017, 823면.

정병호, “요물계약 개념의 유래와 현행법상 요물계약설에 관한 비판적 고찰”, 법사학연구 제53호, 2016, 243면.

제331조(질권의 목적물)

질권은 양도할 수 없는 물건을 목적으로 하지 못한다.

제331조를 보겠습니다. 질권은 양도할 수 없는 물건을 목적으로 할 수 없다고 합니다(양도의 의미에 대해서는 앞서 물권편에서 이미 공부하였습니다). 사실 당연한 이야기 같아 보이기는 합니다. 지금 공부하고 있는 파트가 제8장(질권)의 제1절(동산질권)이잖아요? 동산질권이라고 하면 물건을 담보로 제공받고, 나중에 채무자가 돈을 안 갚으면 그 물건으로부터 우선변제를 받는다는 것인데, 애초에 양도가 안 된다고 하면 채무자가 돈을 안 갚아도 그걸로 채권을 충당할 수가 없게 됩니다. 그냥 물건을 모셔 두고 쳐다만 보아야 하는 건데, 그런 걸 담보로 해서 돈을 빌려줄 사람이 있나 싶습니다.

그런데 양도가 안 된다고 하면, 물건이면 양도가 되는 거지, 양도가 안 되는 물건은 또 뭘까요? 물건이면 모두 양도가 되는 걸까요?

양도가 안 되는 물건이 있습니다. 대표적인 예가 바로 마약 같은 것입니다. 예를 들어 친구가 허가받지 않은 불법 유통 마약을 들고 와서, "미안한데, 이거 맡아 두고 대신 1억원만 빌려줄래?" 이렇게 말한다고 해봅시다.

사정이야 안타깝지만 법률에 따라서 금지된 마약을 가지고 있어 봤자, 나중에 친구가 돈을 안 갚는다고 하더라도 어떻게 경매에 부

칠 수가 없습니다. 그렇다고 채권자가 그걸 암시장에 직접 들고나가서 파는 것도 말이 안 되지요. 마찬가지로 거래가 금지되는 문화재나 위조지폐 같은 것들도 '양도할 수 없는' 물건이라고 할 수 있을 것입니다(김준호, 2017).

제331조는 양도성이 없는 물건이 질권의 목적이 되지 않는다고 정하고 있지만, 양도성과 관계없이 질권의 목적이 될 수 없는 물건들도 있기는 합니다.

예를 들어 선박이나 자동차, 항공기, 거대한 건설기계 같은 것들은 별도로 「상법」, 「자동차 등 특정동산 저당법」 등 별도의 법률로써 질권의 목적이 될 수 없도록 하고, 대신 저당권의 목적이 되도록 하고 있는데요. 이러한 물건들은 동산이기는 하지만 등록원부에 기재되는 등 특수성이 있기 때문입니다. 동산 중에서도 예외적인 동산이 있다는 사실 정도로 기억해 두시면 되겠습니다.

오늘은 동산질권의 목적이 될 수 있는 물건과 그럴 수 없는 물건에 대하여 알아보았습니다. 내일은 설정자에 의한 대리 점유의 금지에 대하여 공부하도록 하겠습니다.

*참고문헌

김준호, 민법강의, 법문사, 2017, 제23판, 823면.

제332조(설정자에 의한 대리점유의 금지)

질권자는 설정자로 하여금 질물의 점유를 하게 하지 못한다.

제332조를 보겠습니다. 조의 제목은 "설정자에 의한 대리점유의 금지"인데, 무슨 의미인지는 천천히 알아보도록 하겠습니다. 제332조는, 질권자가 (질권)설정자로 하여금 질물의 점유를 하도록 시킬 수 없다고 정하고 있습니다. 이게 무슨 뜻일까요?

우리가 예전에 [물권편] 총칙을 처음 공부할 때, 인도에는 다음의 4가지 방법이 있다고 했습니다. 복습 차원에서 한번 훑도록 하겠습니다.

①먼저 현실에서의 인도입니다. 그냥 물건을 집어서 건네주면 됩니다. 가장 단순한 형태의 인도입니다.

②간이인도입니다. 사는 사람이 이미 그 물건을 점유하고 있으면, 파는 사람이 굳이 그 물건을 가져다가 다시 사는 사람에게 건네줄 필요 없이 의사표시만으로도 충분합니다(제188조제2항).

③점유개정입니다. 이번에는 물건을 팔긴 파는데, 그럼에도 불구하고 파는 사람이 물건을 계속 점유하기로 합의하는 것입니다(제189조).

④목적물반환청구권의 양도입니다. 사는 사람도, 파는 사람도 아

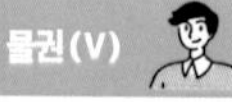

닌 제3자가 물건을 점유하고 있으면, 파는 사람이 제3자에 대해서 물건을 '되돌려받을 수 있는' 청구권 자체를 사는 사람에게 넘김으로써 인도가 이루어진 것으로 봅니다(제190조).

학계에서는 제332조가 2가지 의미를 갖고 있는 것으로 해석하고 있습니다. 과연 어떤 내용인지, 하나씩 살펴보도록 하겠습니다.

1. 제332조의 첫 번째 의미: 점유개정의 방식으로는 동산질권 설정 불가

첫 번째 의미는, 질권설정자가 질물(질권의 목적이 되는 물건)을 계속 점유하는 것을 막는 것입니다. 즉, 동산질권의 설정을 위해 필요한 요건으로 '인도'의 방법 중 점유개정은 인정하지 않겠다는 것입니다. 왜 그럴까요?

그건 점유개정을 인정할 경우 질권의 유치적 효력에 반하기 때문입니다. 예를 들어 보겠습니다. 철수는 급히 돈이 필요해져, 매우 아끼던 시계를 영희에게 담보로 하여 100만원을 빌렸습니다. 영희(질권자)는 철수의 시계(질물)를 목적으로 하는 질권설정계약을 철수(질권 설정자)와 맺게 되는 것입니다. 원래대로라면 철수는 자신의 시계를 영희에게 건네주고(인도), 영희는 철수의 시계를 가지고 있다가(유치), 철수가 약속한 날짜에 100만원을 갚지 않으면 시계를 경매하여 버릴 수 있습니다.

그런데 여기서, 점유개정의 방법을 취한다고 해봅시다. 점유개정에 따른다면 철수(채무자, 질권설정자)가 시계의 점유를 계속하기로 하고, 영희도 그것에 합의하여야 합니다(우리가 배운 바에 따르면, 이 경우 영희는 간접점유를, 철수는 직접점유를 하게 됩니다). 그러면 '인도'가 이루어진 것으로 보게 될 것입니다.

문제는 이런 방법을 허용하게 되면, 애초에 동산질권의 의미 자체가 없어지게 된다는 겁니다. 왜냐하면 동산질권이라는 제도 자체가 물건에 대한 유치적 효력을 인정하도록 하려고 만든 것인데, 영희(질권자)가 시계를 가지고 있지 않게 되면 동산질권이라는 제도를 이용할 이유가 없거든요. 이럴 거면 그냥 차용증 쓰고 돈 빌려주고, 안 갚으면 채무자(철수)의 일반재산에 강제집행을 하면 됩니다. 동산질권이라는 제도의 취지를 잘 생각해 보시기 바랍니다.

2. 제332조의 두번째 의미: 목적물을 질권설정자에게 반환 시 질권은 소멸

이것은 제332조의 반대해석(법문의 내용을 뒤집어서 조문이 명시하지 않은 경우에 대해서도 반대효과를 인정하는 것)에 따른 것입니다. 즉, (인도의 방법으로) 질권이 설정된 이후, 질권자가 질물을 (질권설정자에게) 다시 돌려주는 경우 질권이 소멸한다고 보는 것입니다. 질물을 되돌려준다는 것은 질권의 유치적 효력을 포기한다는 것으로 해석하는 것이지요(박동진, 2022).

그런데 여기서 잠깐, 다시 조의 제목으로 돌아가서 한번 살펴봅시다. 조 내용을 공부한 뒤 다시 보면, 무언가 조 제목이 이상하다는 것을 알 수 있습니다. 설정자에 의한 '대리점유'의 금지라고 되어 있지요. 질권설정자가 대신 점유하는 것을 금지한다는 의미 정도로 대강 이해가 가긴 하는데, 뭔가 표현은 좀 이상합니다. 우리가 공부한 대리의 개념은 법률행위에 적용되는 것인데, 법률행위가 아닌 점유에 '대리'라는 표현을 쓴 것은 적절하지 않다는 것이지요. 그래서 대리라는 표현을 빼야 한다는 의견이 제기되었던 적도 있습니다(법무부, 2012). 참고하시기 바랍니다.

오늘은 점유개정을 금지하는 취지의 제332조를 공부하였습니다. 내일은 동산질권의 순위에 대하여 살펴보겠습니다.

*참고문헌

박동진, 「물권법강의(제2판)」, 법문사, 2022, 419면.

법무부, 「2004년 법무부민법개정안: 총칙·물권편」, 2012, 410면.

제333조(동산질권의 순위)

수개의 채권을 담보하기 위하여 동일한 동산에 수개의 질권을 설정한 때에는 그 순위는 설정의 선후에 의한다.

오늘 내용은 조금 복잡합니다. 우리는 먼저 동산질권에는 우선변제권이 주어진다는 것을 공부한 적이 있었습니다(제329조). 따라서 질권자는 질물에 대하여, 다른 채권자보다 앞서서(우선하여) 자신의 채권을 회수할 수 있는(우선변제) 권리가 있는 겁니다.

참고로 질권을 행사할 때에는 자기가 맡아 두고 있는 물건을 마음대로 동네 시장에 나가서 팔아 채권을 회수하는 게 아니라, 별도의 절차(경매 등)를 통해 실시하여야 한다고 말씀드렸던 바 있습니다.

제329조(동산질권의 내용) 동산질권자는 채권의 담보로 채무자 또는 제삼자가 제공한 동산을 점유하고 그 동산에 대하여 다른 채권자보다 자기채권의 우선변제를 받을 권리가 있다.

그런데, 이러한 '우선변제권'은 언제 어디서나 만능인 것은 아닙니다. 경우에 따라서는 질권자라고 하더라도 최우선적으로 변제를 받지 못하게 될 수도 있습니다. 왜 그럴까요?

제333조가 있기 때문입니다. 제333조는, 여러 개의 채권을 담보하기 위하여 '동일한' 동산에 여러 개의 질권이 설정되어 있다면, 그

순위는 시간적인 순서(설정의 선후)에 따른다고 합니다.

사실 동산질권이 물건을 점유해서 발생하는 물권인데, 1개의 물건이 동시에 여러 장소에 존재하는 것도 아니고 어떻게 여러 개의 동산질권이 발생할 수 있는 것인지 의아하실 수도 있습니다. 그러나, 아래의 예를 보시면 이론적으로 가능하다는 것을 알 수 있을 겁니다.

철수는 급하게 돈이 필요한 청년입니다. 가진 것이라고는 부모님이 남겨 주신 다이아 반지 하나뿐입니다. 철수는 옆집의 나부자를 찾아가, 다이아 반지를 맡길 테니 돈을 좀 빌려달라고 합니다. 이에 나부자(질권자)는 철수와 질권 설정계약을 맺고, 다이아 반지(질물)을 유치하는 대신 철수에게 100만원을 빌려 주기로 합니다.

그런데 나부자에게서 100만원을 빌려서 들고 나오던 철수는 돈이 너무 적다고 생각합니다. 그래서 이번에는 다른 마을의 영희를 찾아가, 자기가 가진 다이아 반지를 담보로 해서 또 100만원을 빌립니다. 이렇게 되면, 다이아 반지라는 1개의 물건에 2개의 동산질권이 설정되는 결과가 됩니다. 그리고 제333조에 따르면, (먼저 질권을 설정한) 나부자가 1순위 질권자가 되고, 영희가 2순위 질권자가 되는 것입니다.

"뭔가 지금까지 공부한 것과 말이 맞지 않는데요. 분명히 질권의 설정은 물건의 인도로 효력이 발생한다고 하지 않았나요? 그런데 나부자가 다이아 반지를 들고 있는데 어떻게 영희가 또다른 동산질권자가 될 수 있습니까? 다이아 반지가 분신술을 쓰는 것도 아닐텐데요."

이런 의문이 드실 수 있습니다. 충분히 의심스러운(?) 상황인 것은 이해합니다. 일단, 현실에서 1개에 물건에 동산질권이 여러 개가 설정되는 것 자체가 드문 일이기는 합니다. 그런데, 이런 상황이 이론적으로는 가능합니다.

우리가 어제 살펴보기를, 질권 설정에 있어서 점유개정을 제외하고는 3가지 방법으로 인도하는 것은 가능하다고 배웠습니다. 즉, '목적물반환청구권의 양도'도 가능하다는 것이지요. 그러면, 위의 사례에서 철수는 이미 나부자에게 다이아 반지를 '현실의 인도'로 넘겨버렸고, 당장 자기 손에는 다이아 반지가 없으므로, 두 번째로 찾아간 영희에게는 다이아 반지라는 목적물의 반환청구권을 양도함으로써 인도의 효력을 발생시킬 수 있는 것입니다. 그러니까 물리적으로는 분명히 다이아 반지가 나부자에게 있지만, 다이아 반지를 (현실적으로) 건네받지 않은 영희도 질권설정이 가능하다는 이야기입니다. 그 외에도 다른 곳에 보관하고 있는 동산을 반환청구권 양도의 방법으로 여러 사람에게 질권설정해 주는 것도 가능합니다.

"이게 가능한가요?"

네, 가능은 하다는 겁니다. 하지만 현실에서는 당연히 영희 입장에서 "물건을 보여 주지도 않으면서 돈을 빌려 달라고? 택도 없지." 이렇게 말할 거라서 실제로 자주 일어나지는 않습니다. 현실에서는 동산질권보다 권리질권에서 이와 같은 상황이 자주 발생합니다(이태종, 2019). 제333조의 규정은 권리질권 파트에서 준용하기 때문인데(제355조), 이 부분은 나중에 자세히 살펴보겠습니다.

어쨌거나 이런 상황에서 철수가 돈을 갚지 못하게 되면, 반지는 경매에 넘어가게 될 겁니다. 다이아 반지가 경매를 거쳐서 150만원에 낙찰되었다고 합시다(경매의 부대비용 문제 등은 없는 것으로 가정하겠습니다). 그러면 1순위 질권자인 나부자가 먼저 100만원을

가져갑니다. 그리고 2순위 질권자인 영희는 남은 50만원에 만족하는 수밖에 없습니다. 철수는 가난해서 다이아 반지 외에 다른 재산도 없으니, 영희는 50만원을 손해 보게 된 것입니다. 이처럼 '순위'는 중요한 것입니다. 선순위인 것이 좋겠죠?

오늘은 동산질권의 순위에 대해서 알아보았습니다. 내일은 피담보채권의 범위에 대해 공부하도록 하겠습니다.

*참고문헌

김용덕 편집대표, 「주석민법 물권3(제5판)」, 한국사법행정학회, 2019, 593-594면(이태종).

제334조(피담보채권의 범위)

질권은 원본, 이자, 위약금, 질권실행의 비용, 질물보존의 비용 및 채무불이행 또는 질물의 하자로 인한 손해배상의 채권을 담보한다. 그러나 다른 약정이 있는 때에는 그 약정에 의한다.

우리는 피담보채권의 의미를 제326조에서 공부하였던 바 있으므로, 따로 설명은 드리지 않고 시작하겠습니다. 제334조를 한번 소리 내어 읽어 보십시오. 제334조는 문장이 대체로 단번에 와 닿지 않습니다. 질권이 무슨 원본, 비용, 채무불이행... 등을 담보한다고 되어 있는 것 같은데, 무슨 의미일까요?

일단 우리가 질권이라는 것이 존재한다고 한다면, 질권은 담보물권이니까 당연히 그에 따라 담보가 되는 채권이 있을 겁니다. 투박하게 표현하자면, 어딘가에 질권이 있다면 어딘가에는 '빚'이 있다는 겁니다. 그런데 단순히 '빚'이라고 표현해서는 도대체 어디서부터 어디까지를 의미하는 것인지 파악하기 어렵습니다.

예를 들어 보겠습니다. 철수는 급히 돈이 필요하여 자신이 아끼던 시계를 옆집의 나부자에게 맡기고, 질권을 설정한 후 100만원을 빌렸습니다. 나부자는 이제 철수의 시계를 갖고 있으면서 철수가 자신에게 100만원을 갚을 때까지 기다릴 것입니다. 나부자가 가진 시계에 대한 질권이 바로 이 100만원의 채권을 담보한다는 사실에는 아무런 의심의 여지가 없을 것입니다.

그런데 철수의 시계가 워낙 고급이어서, 하루라도 특수한 약으로 손질을 해주지 않으면 금방 낡게 되어 버린다고 합시다. 그래서 이 시계의 보존에만 한 달에 2만원이 들어가는데, 이 비용은 나부자가 부담해야 하는 걸까요? 나부자 입장에서는 무엇인가 억울한 측면이 있을 것입니다.

이처럼 "질권이 과연 어디까지를 담보하는가"라는 문제는, 법률로 명확히 정할 필요가 있습니다. 사실 약정담보물권인 질권의 특성상 담보의 내용이 계약서에 명확하게 적혀 있다면 별다른 문제가 되지 않을 것입니다. 하지만 현실에서는 계약서에 내용이 명확하게 기재되지 않는 경우가 많습니다. 바로 그런 때, 제334조가 기능을 발휘할 수 있는 것입니다. 제334조 본문은 원본뿐만 아니라 여러 요소들도 포함하여 담보한다고 규정하고 있습니다. 하나씩 살펴보도록 하겠습니다.

1. 원본

원본(元本)이란 간단하게 원금을 의미합니다. 철수가 나부자에게서 빌린 100만원이 원본에 해당할 것입니다. 철수가 당연히 나부자에게 갚아야 할 돈입니다.

2. 이자

'이자'라는 표현은 일상에서도 자주 들어 보셨을 것이어서, 큰 무리 없이 이해하실 거라 생각합니다. 예를 들어 나부자가 철수에게 100만원을 빌려주고, 1년 뒤에 갚으라고 하면서 연 5%의 이자를 붙일 수 있는 것입니다.

그런데 이자 역시 '나부자가 철수에게 받아내야 할 돈'이라고 할 수 있고, 그래서 우리 법학에서는 이자를 목적으로 하는 채권을 이자채권이라고 부르고 있습니다. 조금 어려운 표현으로는, 이자는 "금전 기타 대체물의 사용의 대가로서 원본액과 사용기간에 비례하여 지급되는 금전 기타의 대체물"이라고 정의할 수 있습니다(김준호, 2017). 이는 우리가 예전에 공부한 법정과실에 해당합니다.

*다만, 주의할 점은 흔히 몇 월 몇 일까지 돈을 갚으라고 하고, 안 갚으면 연체이자를 붙이는 경우가 있는데, 이러한 연체이자는 일종의 손해배상의 개념으로서(지연손해배상), 법적인 개념으로서의 '이자'에는 해당되지 않습니다(김준호, 2017;972면).

3. 위약금

흔히 일상에서 "위약금 물게 생겼다" 이런 말을 듣곤 합니다. 우리 민법은 위약금에 대한 별도의 정의를 내리고 있지는 않고 다만 몇 군데에서 '위약금'이라는 표현을 쓰고 있습니다. 대체로 위약금은, "채권관계의 당사자들 사이에서 일방이 계약위반 내지 채무불이행을 할 경우에 그 당사자가 상대방에게 지급하기로 약정한 금원"이라고 할 수 있습니다(김동훈, 2011). 그리고 나중에 공부하겠지만 민법 제398조제4항은 위약금을 약정하는 경우 이를 손해배상액의 예정으로 추정한다고 규정하고 있습니다.

제398조(배상액의 예정)
④위약금의 약정은 손해배상액의 예정으로 추정한다.

*현실에서 계약서에 '위약금 약정'이라고 적혀 있다고 하더라도, 제398조제4항에 따른 위약금으로서 손해배상액의 예정으로 추정되지 않고, 제398조제4항이 적용되지 않는 개념으로서 '위약벌'에 해당하게 되는 경우도 있습니다. 위약금과 위약벌, 이 2가지를 어떻게 구별하는지, 구별을 하는 것 자체가 의미가 있는지 등에 대해서는 여기서 모두 다루기에 너무 길기 때문에, 권영준(2016) 등 아래 참고문헌을 참조하여 주시기 바랍니다.

복잡해 보이지만 이렇게 생각하면 됩니다. 나부자는 철수가 급해 보여서 시계를 맡아 두고 100만원을 빌려 주기는 했지만, 본인도 여기저기 투자하는 곳이 많기 때문에 철수가 약속한 날짜에 원본과 이자를 갚지 않으면, 투자에서 손해를 볼 수도 있습니다. 그래서 나부자는 계약서에 철수가 자기에게 채무를 불이행(돈을 약속한 날짜에 갚지 않음)함으로써 손해를 끼치게 되면 손해배상을 해야 한다고 적으려고 합니다.

그런데 손해라고 해도, 얼마의 손해가 어떻게 날지 좀 애매합니다. 자칫하면 법적 분쟁으로 이어질 수도 있고, 나부자가 손해액이 얼마인지를 입증하는 것도 현실적으로 쉽지 않겠지요. 주식 2주를 하루 늦게 샀다고 해서 정확히 얼마의 손해가 난 것인지 계산하지는 쉽지 않잖아요? 그래서 나부자는, 손해가 날 경우 그 손해배상액을 대략 예상해서, "철수가 채무를 불이행하는 경우, 나부자에게 위약금으로 3만원을 지급한다."라는 문구를 쓰기로 합니다. 정확히 3만원의 손해가 날지 안 날지는 아무도 모르지만, 대략 예상한 금액을 이미 계약서에 박아 버림으로써, 훗날 있을 법적인 분쟁을 최소화하는 것입니다. 나중에 손해가 실제로 1만원이 나왔다고 해도, 철수는 "1만원 손해 났으니까 1만원만 드릴게요."라고 할 수 없게 됩니다.

4. 질권실행의 비용

철수가 돈을 안 갚고 버틴다고 합시다. 질권자인 나부자는 자신의 돈을 회수하기 위해, 시계(질물)을 경매에 넘겨야 합니다. 그런데 경매라는 것이 공짜로 그냥 되는 것은 아니고, 그 자체로 비용이 들어가게 됩니다. 시계의 값어치를 정확하게 판단하기 위해서 감정을 맡겨야 한다면 감정수수료가 들어갈 것이고, 경매를 위해서 일하는 사람에게 줄 수수료도 있을 것이고요. 이런 잡다한 비용들이 질권을 실행하기 위해 필요한 비용입니다.

우리의 민사집행법은, 강제집행에 필요한 비용을 채무자가 부담하게 하고 매각대금에서 우선적으로 빼주고 있도록 하고 있기는 합니다.

민사집행법

제53조(집행비용의 부담) ①강제집행에 필요한 비용은 채무자가 부담하고 그 집행에 의하여 우선적으로 변상을 받는다.

②강제집행의 기초가 된 판결이 파기된 때에는 채권자는 제1항의 비용을 채무자에게 변상하여야 한다.

5. 질물 보존의 비용

질물을 보존하기 위해서 들어가는 비용입니다. 위의 경우, 시계를 보존하는데 필요한 비용이라고 할 수 있습니다. 하지만 멀쩡한 시계를 매우 아름답게 꾸미고 보석을 박아 넣어서 개량시키는 것은 보존에 필요한 비용이라고 보기 어려울 것입니다. 그런 비용까지 질권으로 담보한다고 하면 철수(채무자) 입장에서는 억울할 수 있겠지요.

6. 채무불이행으로 인한 손해배상채권

위에서 말씀드린 것처럼, 철수(채무자)가 지키기로 했던 채무를 이행하지 않게 되면 나부자(채권자)는 손해를 입을 수 있습니다. 위에서처럼 위약금을 약정한 경우는 그에 따르면 되지만, 위약금 규정이 없다고 하더라도 원칙적으로 철수가 입힌 손해는 나부자에게 갚아야 합니다. 이외에도 본조의 손해배상에는 지연이자(지연배상) 등이 모두 포함된다고 할 것입니다.

7. 질물의 하자로 인한 손해배상채권

철수가 맡긴 시계가, 사실 굉장히 정교하게 만들어져 있어서 자칫 폭발할 수도(!) 있다고 합시다. 그런 시계는 사실 상상하기 어렵지만, 예를 들기 위해 억지로 끼워 맞춰 보는 겁니다. 그런데 철수는 폭발할 위험이 있는 시계를 나부자에게 맡기고 돈을 빌리면서, 그 위험성에 대해서 나부자에게 말해주지도 않았고 안전장치를 따로 해두지도 않았습니다. 나부자는 어느 날 시계를 그냥 만지기만 했는데 시계가 폭발했고, 부상을 입어 10만원의 치료비가 나왔습니다. 이 경우 나부자는 철수에 대해서 10만원의 손해배상채권을 갖게 되었다고 할 수 있습니다.

종합하여 생각해 보겠습니다. 나부자는 철수에게 100만원의 원본을 가지고 있고, 철수가 돈을 갚지 않자 시계를 경매에 넘겼습니다. 그리고 이자는 5만원, 위약금 약정은 별도로 없었고 철수의 채무불이행으로 인해 1만원의 손해가 발생했으며, 시계의 보존 비용으로 2만원, 시계의 폭발(!)로 인한 손해 10만원이 발생했다고 가정하겠습니다. 실제로 비용이 이렇게 간단하게 계산되지 않는 것이 현실이지만, 예를 들어 보는 것이니까, 재미로 읽어 주시기 바랍니다.

만약 시계가 150만원에 경매에서 낙찰되어 팔린다면, 나부자는 150만원 중 100만원(원본)+5만원(이자)+1만원(채무불이행으로 인한 손해)+2만원(보존비용)+10만원(하자로 인한 손해)=118만원을 회수할 수 있게 되는 것입니다. 남는 32만원은 그래도 원래 시계 주인이었던 철수에게 돌려주어야 겠지요? 만약 질권 실행 비용으로 1만원이 들었다면, 철수는 31만원을 가져가게 될 것입니다.

지금까지 질권으로 담보되는 피담보채권의 범위를 살펴보았습니다만, 이런 내용은 사실 당사자 간에 특별히 약정을 하는 경우에는 다르게 정할 수도 있습니다(제334조 단서). 예를 들어, 마음이 너그러운 나부자가 "시계에 들어가는 보존 비용은 몇 푼 안 하니까, 그냥 내가 내도록 하지." 이렇게 약정하였다면 질물을 팔아서 얻게 된 대금에서 보존 비용까지 받아낼 수는 없습니다.

참고로, 나중에 공부할 저당권 파트에서도 피담보채권의 범위에 대한 규정이 나오는데요(제360조), 살펴보면 저당권에서의 범위(원본, 이자, 위약금, 채무불이행으로 인한 손해배상, 저당권 실행비용)

보다 제334조의 범위가 더 넓습니다(원본, 이자, 위약금, 채무불이행으로 인한 손해배상, 질권 실행비용 + 질물 보존비용, 질물의 하자로 인한 손해배상). 이렇게 차이가 나는 이유는 질권의 경우 물건이 직접 채권자에게 인도되기도 하고, 또 같은 물건에 여러 권리가 경합하는 예가 저당권보다 적다는 점 때문입니다. 즉, 저당권에 비해서 제3자에게 피해를 끼칠 염려가 적다는 것이지요(박동진, 2022). 나중에 저당권 파트를 공부한 후 다시 한번 본조를 읽어 보시기 바랍니다.

오늘은 피담보채권의 범위에 대하여 알아보았습니다. 내일은 질권의 유치적 효력에 대하여 공부하도록 하겠습니다.

*참고문헌

권영준, "위약벌과 손해배상액 예정", 한국법학원, 저스티스 제155호, 2016, 199-244면.

김동훈, "위약금에 관한 민법 규정의 개정론", 국민대학교 법학연구소, 법학논총 제23권제2호, 2011, 451면.

김준호, 「민법강의(제23판)」, 법문사, 2017, 971면.

박동진, 「물권법강의(제2판)」, 법문사, 2022, 423면.

제335조(유치적효력)

질권자는 전조의 채권의 변제를 받을 때까지 질물을 유치할 수 있다. 그러나 자기보다 우선권이 있는 채권자에게 대항하지 못한다.

제335조의 주요한 내용은 이미 우리가 질권에 대해 처음 공부하면서 다루었기 때문에, 비교적 이해하기 쉬우실 것입니다. 제335조에서는 질권자가 피담보채권(전조인 제334조의 채권이라고 표현하고 있습니다)의 변제를 받을 때까지 질물(질권의 목적)을 유치할 수 있으며(제335조 본문), 다만 자기보다 우선권이 있는 채권자에게는 대항하지 못한다고 합니다(제335조 단서).

법학을 처음 공부하시는 분들 중에 '대항'의 의미에 대해서 물어보는 분들이 꽤 많습니다. 아무래도 '~에 대해 대항한다'라는 의미가 좀 생소하긴 합니다. '대항'이라는 단어가 민법에서 처음 나오는 부분은 제8조에서입니다. [민법총칙] 편에서 한번 복습하고 오셔도 좋겠습니다.

제8조(영업의 허락) ①미성년자가 법정대리인으로부터 허락을 얻은 특정한 영업에 관하여는 성년자와 동일한 행위능력이 있다.
②법정대리인은 전항의 허락을 취소 또는 제한할 수 있다. 그러나 선의의 제삼자에게 대항하지 못한다.

그때 우리가 제8조를 공부하면서 말씀드렸듯이, '대항한다'라는 것은 단순하게 생각하면 "억울하다고 주장하다"라는 의미 정도로 생각할 수 있다고 하였습니다. 이건 학술적으로 정확한 의미라기보다, 쉽게 표현한 것이라고 이해해 주세요.

어쨌건 이 표현을 제335조에 대입해서 생각해 보면, "질권자는 피담보채권의 변제를 받을 때까지 질물을 유치할 수 있다. 하지만, 자기보다 우선권이 있는 채권자에게는 자신의 사정을 말하면서 억울하다고 주장할 수 없다." 이렇게 됩니다.

아직도 애매하다면, 예를 들어 생각해 보겠습니다. 얼마 전에 1개의 동산에도 여러 개의 질권이 설정될 수 있다고 말씀드렸었지요? 철수는 급전이 필요해서, 자신의 가보로 물려받은 시계를 담보로 해서 질권을 설정하고 돈을 빌리려고 합니다. 철수는 먼저 나부자를 찾아가, 100만원을 빌리고 시계에 질권을 설정해 주었습니다. 그리고 시계를 나부자에게 인도하여 주었습니다. 이제 나부자는 시계에 대한 1순위 질권자입니다.

하지만 돈이 궁했던 철수는 다음으로 최서민을 찾아갑니다. 그리고 나부자에 대한 시계의 목적물반환청구권을 최서민에게 양도하는 방법으로 시계의 점유를 이전하고(목적물반환청구권의 양도: 제333조 파트 참고), 다시 100만원을 빌립니다. 이제 최서민은 시계에 대한 2순위 질권자입니다. 일단 질권이 설정되기는 했는데, 물리적으로는 시계가 나부자의 수중에 있고, 최서민은 손에 아무것도 없습니다.

최서민은 시계의 소유자이자 질권 설정자인 철수에게 100만원을 빌려주었고, 따라서 최서민은 (원칙적으로는) 제335조 본문에 따라, 철수로부터 100만원이라는 채권의 변제를 받기 전까지 일단 시계를 가지고 유치할 수 있을 것처럼 보입니다. 그러나 이런 원칙은 제335조 단서에 따라 깨지게 됩니다.

철수가 나부자에게 약속한 기일까지 돈을 갚지 못했고, 이에 나부자는 자신이 들고 있던 시계를 경매에 넘겨서 자신의 채권을 회수하려고 합니다. 그런데 이런 상황에서 최서민이 등장하여, "나도 질권자야! 제335조 본문에 따라 나는 시계를 유치하여 내 돈을 받을 때까지 버틸 수 있는 권리가 있다."라고 하면서 나부자가 신청한 경매를 막을 수 있을까요?

안됩니다. 왜냐하면 제335조 단서에 따라 후순위 질권자인 최서민은 선순위 질권자인 나부자에게 대항할 수 없기 때문입니다. 다소 저속한 표현이지만, 후순위 질권자는 선순위 질권자에게 개길 수 없다(?)는 것입니다. 최서민은 시계가 경매에 넘어가서 좋은 값에 팔린 후, 자신에게 배당이 돌아오기를 기다리는 수밖에 없겠지요.

오늘은 질권의 유치적 효력에 대하여 살펴보았습니다. 내일은 전질권에 관하여 공부하도록 하겠습니다.

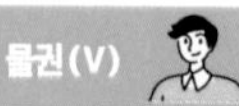

제336조(전질권)

질권자는 그 권리의 범위 내에서 자기의 책임으로 질물을 전질할 수 있다. 이 경우에는 전질을 하지 아니하였으면 면할 수 있는 불가항력으로 인한 손해에 대하여도 책임을 부담한다.

오늘은 전질권에 대해 살펴보겠습니다. 단어만 들었을 때에는 꽤 복잡한 것 같지만, 사실 우리는 이와 조금은 유사한 단어를 공부한 적이 있습니다. 바로 전세권을 공부하던 민법 제306조에서입니다. 그리고 제336조와 왠지 비슷한 구조인 것 같은 조문도 공부했습니다. 제308조에서입니다. 이미 공부하였던 내용을 되돌이켜 보고 복습해 보시면, 제336조도 그다지 어렵지 않게 이해하실 수 있을 것입니다.

제306조(전세권의 양도, 임대 등) 전세권자는 전세권을 타인에게 양도 또는 담보로 제공할 수 있고 그 존속기간내에서 그 목적물을 타인에게 전전세 또는 임대할 수 있다. 그러나 설정행위로 이를 금지한 때에는 그러하지 아니하다.

제308조(전전세 등의 경우의 책임) 전세권의 목적물을 전전세 또는 임대한 경우에는 전세권자는 전전세 또는 임대하지 아니하였으면 면할 수 있는 불가항력으로 인한 손해에 대하여 그 책임을 부담한다.

우리는 이미 전전세의 개념을 배웠습니다. 여기서 앞에 붙는 '전

(轉)'은 한자로 '옮겨가다' 정도의 의미가 있고, 전전세는 이미 전세를 낸 것을 다시 전세 주는 것으로 말씀드렸던 바 있습니다. 오늘 공부하는 '전질권'에서의 '전'도 같은 한자를 씁니다. 즉, 전질이란 질권자가 자신의 채권자에 대한 담보로 질물 위에 다시 질권을 설정하는 것을 의미합니다(김준호, 2017).

예를 들어 보겠습니다. 철수는 자신이 갖고 있던 귀중한 시계를 나부자에게 맡기고, 질권설정계약을 한 후 100만원을 빌렸습니다. 그러면 나부자는 채권자이자 질권자가 되는 것이고, 철수는 채무자이자 질권 설정자가 됩니다.

그런데 나부자의 사업이 갑자기 어려워져서, 나부자는 돈이 어디 나올 데가 없나 궁리하다가 철수에게서 맡아 두고 있던 시계가 떠오르게 되었습니다. 이에 나부자는 시계를 김이웃이라는 사람에게 넘기고 질권을 설정하면서 돈을 빌리려고 합니다.

이런 나부자의 행동은 가능할까요? 제336조는 이에 대한 답을 주고 있습니다. 일정한 조건을 지키면, 가능하다는 겁니다. 질권자(나부자)는 자신의 책임 하에서 그 권리의 범위 내에서 질물을 전질할 수 있습니다.

*이러한 제336조에 따른 전질의 법적 성질이 무엇인지에 대해서는 학설이 갈립니다. 질권자가 질물 위에 다시 질권을 설정하는 것이라는 질물재입질설과, 질권뿐 아니라 피담보채권까지 함께 입질하는 의미

로 해석하여야 한다는 채권·질권 공동입질설이 대립하고 있습니다(박동진, 2022). 사실 이 내용까지 여기서 공부하기에는 지나치게 복잡한 측면이 있으므로 여기서는 후자가 다수설이라는 점만 이야기하고 넘어가도록 하겠습니다. 이하에서는 다수설인 공동입질설을 전제로 하고 논의를 진행할 것입니다. 심화학습을 원하시는 분들은 민법 교과서를 참고하시기 바랍니다.

전질은 무제한으로 가능한 것은 아닙니다. 우선, 제336조 전단에서 명시하고 있듯이 '권리의 범위 내'에서 가능합니다. 즉, 나부자가 처음에 질권자가 되면서 철수에게 100만원을 빌려주었는데, 나부자가 전질을 하면서, 그 피담보채권액 100만원의 범위를 넘어 200만원을 김이웃으로부터 빌릴 수는 없다는 뜻입니다.

또한, 존속기간에 있어서도 제한을 받습니다. 쉽게 표현하자면 이런 것입니다. 나부자가 철수에게 돈을 받기로 한 날(변제기)가 1월 27일인데, 정작 나부자는 김이웃에게 돈을 빌리면서 변제기를 1월 31일로 정했다고 합시다. 원래 채권보다도 변제기가 더 늦은 겁니다.

이렇게 되어 버리면, 1월 27일에 철수가 계약대로 나부자에게 100만원을 갚는다고 하더라도 철수는 시계를 바로 돌려받지 못하게 되는 문제가 생깁니다. 왜냐하면 나부자는 아직 김이웃에게 돈을 갚지 않았고(1월 31일까지니까), 김이웃은 자기 돈도 못 받았는데 유치하고 있는 시계를 되돌려줄 이유가 없거든요. 그렇게 되면 원래의 질권 설정자인 철수가 부당하게 피해를 보게 되어 버립니다. 이처럼 전질권의 피담보채권의 경우 그 변제기는 원질권의 피담보채권의 변제기보다 늦어서는 안되는 것입니다. 만약 원질권의 권리 범위를 초과하는 경우(이를 초과전질이라고도 부릅니다), 그런 전질권은 원질권의 변제기 및 피담보채권의 범위 내에서만 유효할 것입니다(박동진, 2022).

*여기서의 전질의 대항요건에 관한 내용을 알아볼 필요가 있는데, 이 부분은 사실 내일 공부할 내용과도 관련이 있어서, 내일 한꺼번에 알아보는 것으로 하겠습니다.

그렇다면, 책임전질에 따른 효과는 어떤 것이 있을까요? 각각의 입장에서 하나씩 살펴봅시다.

1. 전질권자(김이웃)의 입장

먼저, 전질권자(위의 사례에서 김이웃)의 입장에서 살펴봅시다. 김이웃이 자신의 돈을 받아낼 수 있는 방법은 크게 세 가지가 있습니다(김준호, 2017: 833면).

①우선 김이웃은 전질권자로서 자신의 채권을 변제받을 때까지 질물(시계)을 유치할 수 있습니다. 전질권도 질권의 일종이니까, 제335조에서 살펴본 유치적 효력이 있기 때문입니다. 다만, 대항요건

부분은 제337조에서 살펴볼 테니 거기서 언급하겠습니다.

만약 유치적 효력에 질린(?) 원질권자(나부자)가 전질권자(김이웃)에게 직접 돈을 갚으면, 김이웃의 피담보채권은 소멸합니다. 즉, 전질권은 없어지는 것이지요. 이 경우 김이웃은 시계를 나부자에게 다시 돌려주면 됩니다. 나부자의 원질권은 아직 소멸한 것이 아니기 때문에, 나부자에게 돌려준다는 것이죠.

②다음으로, 김이웃은 질물을 경매에 부치거나 간이변제충당의 방법으로 돈을 회수할 수 있습니다. 전질권자 역시 질권자이므로, 우선변제권을 갖고 있습니다. 김이웃이 시계를 경매에 넘겨서 낙찰된다면, 그 돈은 먼저 전질권자(김이웃)의 변제에 우선 충당됩니다.

예를 들어 나부자가 철수에게 빌려준 돈은 100만원, 김이웃이 나부자에게 빌려준 돈은 80만원이라고 합시다. 시계가 150만원에 낙찰된다면, 김이웃이 먼저 80만원을 회수해 갈 것입니다(기타 비용 등은 없다고 가정). 이와 같이 전질권자의 피담보채권이 만족을 얻어 소멸하면, 원질권의 피담보채권도 그 한도에서 소멸하게 됩니다(양창수·김형석, 2023). 따라서 나부자의 채권 100만원 중 80만원은 소멸하고 20만원을 받아가게 되며, 최종적으로 남은 50만원은 시계 주인인 철수가 가져가면 됩니다.

③셋째, 전질권자(김이웃)는 원질권자(나부자)뿐 아니라 생판 남인 질권설정자(철수)에게 자기 돈을 갚으라고 청구할 수도 있습니

다.

"그게 가능합니까? 돈은 나부자가 빌렸는데 왜 철수가 돈을 갚아야 합니까?" 이렇게 생각하실 수 있는데, 가능합니다. 왜냐하면 전질권자는 (나중에 공부할) 채권질권자와 같은 지위에 있는 것으로 평가되고, 채권질권자는 제353조제1항에 따라 채권을 직접 청구할 수 있기 때문입니다. 즉, 김이웃은 철수에게 80만원을 청구하고 수령하여 자신의 채권을 만족시킬 수 있습니다.

*다만, 위 ②번과 ③번의 경우에는 모두 채무자인 철수에게 직접 영향을 미치게 되는 것이므로, 전질권과 원질권의 피담보채권 모두가 변제기가 되었어야 할 것입니다.

2. 나부자(원질권자)의 입장

나부자의 입장에서는 어떨까요? 나부자는 원질권자이면서, 전질권의 설정자이기도 합니다. 나부자는 스스로 전질권을 설정한 것에 대하여 어느 정도 책임을 져야 합니다.

그 책임을 정하고 있는 것이 바로 제336조 후단입니다. 전질을 '하지 않았다면' 피할 수 있었던 불가항력으로 인한 손해에 대해서 질권자(나부자)는 책임을 져야 합니다.

예를 들어 시계를 최종적으로 맡아 두게 된 김이웃은 그 시계를 자신의 창고에 넣어 두었는데, 창고에 불가항력적인 화재가 발생하여 시계가 전소되어 버린 경우에는 전질을 했던 나부자가 철수(시계의 원 소유자)에 대해 배상책임을 져야 할 것입니다. 애초에 나부자가 전질을 하지 않았다면 철수의 시계는 멀쩡했을 테니까요. 이와 같은 나부자의 책임에 대하여, 보통 교과서에서는 원질권자의 책임 가중이라고 부릅니다.

다음으로, 나부자는 전질권을 소멸시킬 수 있는 행위를 하여서는 안 됩니다. 이 부분은 나중에 공부할 제352조와 관련되어 있는데요, 전질권자는 채권질권자와 유사한 지위를 갖기 때문에 제352조가 적용될 수 있는 것입니다.

무슨 말이냐 하면, 나부자가 갑자기 철수에 대한 자신의 (원)질권을 포기하거나 철수의 빚을 탕감해 버린다고 합시다. 그러면 원질권이 소멸함에 따라 전질권도 소멸하게 될 것이고, 김이웃은 자신의 담보권이 사라지는 피해를 받게 됩니다. 따라서 우리 민법은 김이웃을 보호하고자 하는 것이고, 이에 나부자는 마음대로 자신의 질권을 포기할 수 없는 제한을 받게 되는 것입니다.

다음으로, 나부자(질권자)는 채무자(철수)에게 전질이 이루어졌다는 사실을 알려주거나(통지), 철수의 승낙을 받아야 대항요건을 갖출 수 있습니다. 대항요건에 관한 내용은 내일 공부할 제337조에 규정되어 있으므로, 해당 파트에서 말씀드리도록 하겠습니다.

3. 철수(채무자)의 입장

최초의 채무자인 철수의 입장에서는 어떤 변화가 있을까요? 만약 전질권자가 제337조의 대항요건을 갖춘 경우라면, 철수는 나부자에게 100만원을 갚아도 그 사실로써 전질권자인 김이웃에게 대항할 수 없습니다(김이웃의 동의가 없었던 경우). 자세한 내용은 내일 살펴보도록 하겠습니다.

오늘은 전질의 개념에 대하여 공부하였습니다. 그런데, 사실 학자들은 우리 민법에서 정하는 전질에는 2가지 종류가 있고, 제336조는 그 중 한 가지를 규정하고 있다고 보고 있습니다. 그리고 오늘 공부한 유형의 전질을 책임전질이라고 부릅니다(자기의 책임 하에, 질권설정자의 승낙 없이도 전질을 한다는 의미).

그리고 책임전질과 달리 질권설정자의 승낙을 얻어서 전질하는 경우를 승낙전질이라고 부릅니다. 왜 이렇게 나누냐면, 민법 제343조 때문입니다. 제343조는 제324조를 동산질권에 준용하도록 명시하고 있는데, 동조 제2항은 "유치권자는 채무자의 승낙없이 유치물의 사용, 대여 또는 담보제공을 하지 못한다."라고 규정하고 있기 때문입니다. 즉, 제336조는 승낙과 상관없이 전질이 가능한 것처럼 규정되어 있는데, 제343조(제324조제2항)를 해석하면 질권자는 채무자의 승낙이 있어야 전질(담보제공)이 가능한 것처럼 되어 있어 얼핏 두 조문이 충돌하는 것처럼 보이기 때문이지요.

제343조(준용규정) 제249조 내지 제251조, 제321조 내지 제325조의 규정은 동산질권에 준용한다.
제324조(유치권자의 선관의무)
②유치권자는 채무자의 승낙없이 유치물의 사용, 대여 또는 담보제공을 하지 못한다. 그러나 유치물의 보존에 필요한 사용은 그러하지 아니하다.

학설의 논란이 좀 있었는데, 학계의 다수 견해는 제336조와 제343조가 서로 다른 전질의 유형을 규정한 것으로 보고 있으며, 그래서 제336조를 '책임전질'로, 제343조(제324조제2항)를 '승낙전질'로 구분하여 부르기로 한 것입니다. 판례도 마찬가지 입장입니다.

그렇다면 승낙전질은 책임전질과 무엇이 다른 걸까요? 적용되는 조문이 다른 것은 앞서 말씀드린 바와 같고요, 가장 큰 차이는 우선 채무자(위의 사례에서는 철수)의 승낙을 받았느냐 아니냐, 그것일 겁니다.

그까짓 승낙이 뭐가 중요하냐 생각하실 수 있지만, 큰 차이가 있습니다. 예를 들어 철수에게 100만원을 빌려주고 시계의 질권자가 된 나부자가, 전질을 하려고 한다고 칩시다. 나부자는 이번에는 책

임전질이 아니라 승낙전질을 하려고 합니다. 그렇다면 나부자는 철수의 동의를 얻어서, 100만원이 아니라 150만원을 김이웃에게 빌리면서 전질을 할 수도 있습니다.

즉, 채무자(철수)의 승낙에 따라 나부자는 원질권의 피담보채권(100만원)을 넘는 범위에서 돈을 빌릴 수도 있는 것입니다. 변제기도 자유롭게 정할 수 있습니다. 책임전질에서는 불가했던 일인데, 이것이 가능한 이유는 직접 이해관계가 있는 당사자인 철수 본인이 나서서 승낙을 해줬기 때문인 것입니다.

*참고로, 학계의 통설은 승낙전질의 경우 책임전질과 달리 채권과 질권을 함께 입질하는 것이 아니라 그냥 질물을 재입질하는 것이라고 해석합니다. 이 부분에 대한 자세한 설명은 교과서를 참고하시기 바랍니다.

채무자의 승낙이 있었던 만큼, 나부자는 제336조 후단의 책임 가중 조항도 적용받지 않고요, 내일 살펴볼 제337조도 적용받지 않아 상대적으로 훨씬 자유롭습니다.

또한, 승낙전질에서의 전질권은 원질권과는 아예 독립한 하나의 물권이라고 해석되기 때문에, 철수가 나부자에게 100만원을 갚는 등 사유로 원질권이 소멸한다고 하더라도 김이웃의 전질권에는 영향이 없습니다. 전질권은 여전히 살아 있으며, 김이웃은 자신이 나부자에게 빌려준 150만원을 받을 때까지 시계를 가지고 있을 수 있는 것입니다.

이렇게만 보면 사실 승낙전질이 나부자 입장에서는 책임전질보다 훨씬 유리해 보이는데요, 실제로는 이런 것을 철수에게 허락받기가 쉽지는 않겠지요.

긴 내용을 살펴보느라 고생하셨습니다. 내일은 (책임)전질의 대항요건에 대하여 알아보겠습니다.

*참고문헌

김용담, 주석민법[물권(3)], 한국사법행정학회, 2011, 513면.

김준호, 「민법강의(제23판)」, 법문사, 2017, 830면.

박동진, 「물권법강의(제2판)」, 법문사, 2022, 427-428면.

양창수·김형석, 「권리의 보전과 담보(제5판)」(전자책), 박영사, 2023, 398면.

제337조(전질의 대항요건)

①전조의 경우에 질권자가 채무자에게 전질의 사실을 통지하거나 채무자가 이를 승낙함이 아니면 전질로써 채무자, 보증인, 질권설정자 및 그 승계인에게 대항하지 못한다.
②채무자가 전항의 통지를 받거나 승낙을 한 때에는 전질권자의 동의없이 질권자에게 채무를 변제하여도 이로써 전질권자에게 대항하지 못한다.

우리는 어제 전질(권), 특히 책임전질에 대해서 처음 공부하였습니다. 오늘 공부하는 제337조는 전질의 '대항요건'입니다. 지금까지 우리가 '대항'이라는 표현을 민법에서 제법 사용해 왔기 때문에, 이제는 꽤 익숙한 용어이실 겁니다.

당사자 간에 이미 법률관계가 성립했다고 하더라도, 그 법률관계를 당사자 외의 다른 사람에게 '주장'하는 것은 별개의 문제입니다. '대항요건'이란, 바로 이런 경우에 다른 사람(제3자)에게 주장할 수 있는 요건을 말합니다. 대항요건을 구비했다는 말은 제3자에게도 주장할 수 있는 힘이 생겼다는 말과 얼추 비슷한 의미한 거죠.

자세히 살펴보면, 제337조에서의 '대항한다'라는 말의 의미는, 전질권의 효력을 (채무자 등 제337조제1항에서 정한 사람들에게) 주장할 수 있다는 의미라고 할 수 있습니다.

제337조제1항은 전조의 경우(제336조)에, 질권자가 채무자에게 전질의 사실을 통지하거나 채무자가 이를 승낙하지 아니하면, 채무자·보증인·질권설정자 및 그 승계인에게 대항할 수 없다고 합니다. 전질을 할 때 질권자가 뭔가를 빼먹으면 불이익을 받을 수도 있다는 얘기인 거 같은데, 무슨 의미인지는 좀 애매합니다. 예를 들어 보도록 하겠습니다.

어제와 유사한 사례입니다. 철수는 나부자와 질권 설정계약을 맺고 자기 소유의 시계에 질권을 걸었습니다. 철수는 100만원을 빌려 채무자이자 질권설정자가 되었고, 나부자는 채권자이자 질권자가 된 것입니다. 그리고 나부자는 이 시계를 (다시) 전질하여 김이웃으로부터 80만원을 빌렸습니다.

나부자는 철수에 대한 채권자이자, 김이웃에 대한 채무자이며, (원)질권자이자, 전질권 설정자가 됩니다. 반면 김이웃은 나부자에 대한 채권자이며, 전질권자가 되는 것입니다. 얼핏 관계가 다소 복잡해 보이는데 자주 써먹는 사례이므로 쉽게 이해하실 수 있을 것이라 생각합니다.

그런데, 질권자인 나부자는 철수의 시계를 전질하면서 그 사실을 시계의 소유자이자 채무자인 철수에게 말도 안 해주고(통지하지 않고), 철수의 동의를 얻지도(승낙을 받지도) 않고 그냥 전질을 해버렸습니다. 그러니까 지금 철수는 자기 시계가 김이웃이라는 생판 모르는 사람에게 이전된 줄도 모르고 있는 것입니다.

이런 상황에서, 김이웃(전질권자)의 권리는 오직 (계약을 맺은 당사자인) 나부자와의 관계에서만 인정되는 것이므로, 김이웃은 (채무자인) 철수에게는 전질의 성립을 주장할 수가 없습니다. 즉, 나부자에게서 김이웃에게 이루어진 전질은 대항요건을 갖추지 못하고 있는 것입니다.

*이 사례에서는 채무자와 질권 설정자가 '철수' 1명으로 같기 때문에 따로 구별할 필요는 없습니다. 보증인의 개념에 대해서는, 사실 엄밀하게는 인적담보나 물적담보의 개념을 공부하여야 하지만 여기서는 그냥 철수(채무자)의 빚을 보증해 주는 사람 정도로 이해하고 넘어가겠습니다. 승계인에 대해서는 민법 총칙 편에서도 공부한 바가 있기 때문에 별도로 설명드리지 않도록 하겠습니다.

예를 들어, 철수(채무자)가 마음대로 김이웃(전질권자)을 신경 쓰지 않고 나부자(원질권자)에게 진 빚 100만원을 갚아 버렸다고 합시다.

철수는 (생판 모르는 남인 김이웃의 사정은 알 바 아니고) 자기가 갚아야 할 빚을 갚았기 때문에, 당연히 나부자에게 자기 시계를 돌려달라고 요구할 수 있을 것입니다. 하지만 나부자는 시계를 안 갖고 있고 김이웃이 갖고 있기 때문에, 김이웃은 철수에게 시계를 돌려주어야 할 겁니다. 대항요건을 갖추지 않고 있기 때문에, 김이웃은 "나도 전질권자다. 억울하다."라고 주장할 수 없게 됩니다.

이번에는 위의 사례에서, 전질을 했던 나부자(질권자, 전질권 설정자)가 철수(채무자)에게 그 사실을 통지하였다고 해봅시다. 아니면, 철수에게 동의를 받았다고 합시다. 어느 쪽이건 괜찮습니다. 이런 경우 전질은 대항요건을 갖추게 됩니다.

제337조제2항에서는 채무자인 철수가 전질을 하는 것에 대해 통지를 받았거나 승낙하였던 경우에는 좀 더 무거운 책임을 지도록 하고 있습니다. 전질을 했는지도 모르고 있었던 것과는 차이가 있다고 보는 거지요.

이번에는 이와 같은 '통지' 또는 '승낙'이 있었다는 전제 하에, 철수(채무자)가 마음대로 김이웃(전질권자)을 신경 쓰지 않고 나부자(원질권자)에게 진 빚 100만원을 갚아 버렸다고 합시다. 이 경우에는 "전질권자에게 대항하지 못한다"라고 규정한 제337조제2항에 따라, 철수는 '자신이 채무를 변제했음'을 전질권자(김이웃)에게 주장할 수 없게 됩니다. 따라서, 김이웃은 철수에게 시계를 돌려주지 않고 버틸 수 있습니다.

*다만, 대항요건의 유무는 어디까지나 대항할 수 있는지에 영향을 미치는 것뿐입니다. 무슨 말이냐면, 통지나 승낙이 있었던 경우 철수의 변제는 김이웃(전질권자)에 대해서는 대항할 수 없지만, 나부자에게는 효력이 있다는 겁니다. 그게 아니면 철수는 그냥 나부자에게 돈을 기

부한 셈이 되는데 그건 너무한 해석이지요. 따라서 이 경우에는 원질권만 소멸하고, 전질권은 여전히 존속하는 것으로 해석하면 됩니다(이태종, 2019).

오늘은 전질에서의 대항요건의 의미에 대해 알아보았습니다. 다소 난해하게 느껴질 수 있는 부분이지만, 복잡한 내용을 모두 꼼꼼히 분석하기보다 대략적인 의미를 이해하고 넘어가시면 부담이 덜할 것입니다.

내일은 질권에서의 경매와 간이변제충당에 대해 공부하도록 하겠습니다.

*참고문헌

김용덕 편집대표, 「주석민법 물권3(제5판)」, 한국사법행정학회, 2019, 612면(이태종).

제338조(경매, 간이변제충당)

①질권자는 채권의 변제를 받기 위하여 질물을 경매할 수 있다.
②정당한 이유있는 때에는 질권자는 감정자의 평가에 의하여 질물로 직접 변제에 충당할 것을 법원에 청구할 수 있다. 이 경우에는 질권자는 미리 채무자 및 질권설정자에게 통지하여야 한다.

어제까지는 (책임)전질에 대해 살펴보았는데, 이번에는 다시 원래대로 일반적인 동산물권으로 돌아옵니다. 오늘의 제338조는 꽤 익숙한 조문일 것입니다. 우리는 이와 유사한 구조의 조문을 유치권 파트에서 공부한 적이 있었습니다. 제338조와 제322조를 비교해 보시면, 거의 대부분의 표현이 흡사하다는 것을 알 수 있습니다.

제322조(경매, 간이변제충당) ①유치권자는 채권의 변제를 받기 위하여 유치물을 경매할 수 있다.
②정당한 이유있는 때에는 유치권자는 감정인의 평가에 의하여 유치물로 직접 변제에 충당할 것을 법원에 청구할 수 있다. 이 경우에는 유치권자는 미리 채무자에게 통지하여야 한다.

제338조제1항을 봅시다. 질권자는 채권의 변제를 받기 위해서 질물을 경매에 넘길 수 있습니다. 경매에 넘겨서 매각이 되면, 그 매각대금에서 자기 돈을 받아낼 수 있는 구조이지요.

제1항이 일반적인 질권의 실행 방법이라고 한다면, 제2항은 조금

예외적인 상황을 규정하고 있습니다.

질권자는 정당한 이유가 있는 경우에는 (질물을 경매에 넘기는 것이 아니라) 감정인의 평가를 거쳐서 직접 채권의 변제에 충당할 수 있습니다(간이변제충당). 즉, 질권자가 감정평가액을 기준으로 해서 차액을 정산한 후에 질물의 소유권을 아예 취득하는 것이지요(이태종, 2019). 유치권에서의 간이변제충당의 결과 유치권자가 목적물의 소유권을 취득했던 것과 비슷합니다.

여기서 '정당한 이유'는 여러 가지가 있겠습니다만 값어치가 얼마 안 되는 물건이어서 경매라는 절차에 넘기는 것 자체가 복잡하고 비경제적인 상황 등이 해당될 수 있을 것입니다.

예를 들어서 질권자가 받아내야 할 돈이 30만원인데, 맡아 두고 있는 질물을 (법원에서 선임해 준 감정인이) 감정평가해 보니 대략 35만원의 가치가 있더라, 이겁니다. 그러면 차액인 5만원 정도는 질권자가 (질권 설정자에게) 돌려주고, 35만원의 가치를 가진 그 물건을 아예 자기의 소유로 하는 겁니다. 그러면 (돈을 못 받은) 질권자도 어느 정도 억울함을 풀 수 있겠지요.

마지막으로, 간이변제충당을 하더라도 질권자가 미리 채무자나 질권설정자에게 통지는 해줘야 합니다(제338조제2항 후단). 예를 들어 채무자가 질물의 소유자라고 하면, 자기가 맡겨 놓은 그 물건이 개인적으로 소중한 것일 수도 있잖아요? 그런데 빚을 좀 못 갚고 있다고 해서 그 물건의 소유권이 홀랑 질권자에게 넘어가 버리면, 잔인한 결과가 될 수도 있습니다. 그래서 최소한 간이변제충당을 할 것이라는 계획을 미리 알려는 줌으로써, "야, 네가 돈을 안 갚아서 간이변제충당을 할 건데 소유권 잃고 싶지 않으면 돈을 빨리 갚아라."라고 언질을 주는 의미가 있는 것입니다. 어쨌든 빚을 갚기만 하면, 질권자는 굳이 간이변제충당을 할 필요가 없어지니까요.

오늘은 질권에서의 경매와 간이변제충당에 대해 공부하였습니다. 내일은 유질계약의 금지에 대해 살펴보도록 하겠습니다.

*참고문헌

김용덕 편집대표, 「주석민법 물권3(제5판)」, 한국사법행정학회, 2019, 615면(이태종).

第339조(유질계약의 금지)

질권설정자는 채무변제기전의 계약으로 질권자에게 변제에 갈음하여 질물의 소유권을 취득하게 하거나 법률에 정한 방법에 의하지 아니하고 질물을 처분할 것을 약정하지 못한다.

오늘 공부할 내용은 유질계약입니다. 한자로는 '流質契約'으로, '질'이나 '계약'의 의미는 이미 아실 것입니다. 다만 '유'라는 한자를 왜 사용하였을까, 이런 생각이 들 수는 있습니다. 사실 법학을 오래 공부하신 분들 중에도 왜 유질계약, 유저당계약에서 '유'라는 한자를 쓰는지에 대해서는 별로 생각을 안 하시는 경우가 있습니다. 한번 생각해 봅시다.

여기서의 '유'(流)는 '흐르다'의 의미는 아니고, '추방하다, 배제하다, 내치다, 귀양보내다, 유배보내다' 정도의 의미입니다. 즉, '질권을 배제하는 내용의 계약'을 유질계약이라고 볼 수 있으며, 따라서 질권의 성질에 반하는 계약이라고 할 수 있으므로 '질권의 한 종류'라고 볼 수는 없을 것입니다(강태성, 2005). 그렇다면 어떤 계약이기에, 질권을 '내치고 배제하는' 계약이라고 하는 걸까요?

제339조는 질권설정자가 채무변제기 전에 계약을 맺어서 질권자로 하여금 변제 대신 질물의 소유권을 취득하게 하거나, 법률에서 정하는 바에 따르지 않고 질물을 처분하도록 할 수 없다고 규정합니다. 무슨 의미인지, 예를 들어 보도록 하겠습니다.

벌써 여러 차례 급전이 필요한 철수는 오늘도 돈이 궁합니다. 그래서 도대체 몇 개가 있는지 모를 시계를 하나 가져다가 옆집의 나부자를 찾아갑니다. 그리고 시계에 질권을 설정하고(입질하고), 나부자를 질권자로 하여 100만원을 빌리려고 합니다. 철수는 돈을 빌린 날부터 1년 안에 100만원을 갚겠다고 약속합니다.

그런데 여기서 나부자가 이런 제안을 합니다. "자네가 돈을 갚겠다고 하지만, 자네 사정이 좋지 않은 것은 누구나 알고 있지. 돈을 못 갚게 되면 내가 손해를 보지 않겠는가? 그래서 말인데, 자네가 돈을 갚지 못하면 이 시계는 내가 아예 갖는 것으로 하면 안 되겠나?" 철수는 꺼림칙하지만 돈이 일단 급하니 어쩔 수가 없는 상황입니다. 그래서 나부자가 제안한 조항을 계약서에 넣어서 사인을 합니다.

그러나 제339조에 따르면 이러한 유질과 관련된 계약(조항)은 무효입니다. 변제기(1년 뒤) 전에 계약으로서 질권자(나부자)가 채무자(철수)로부터 변제를 받는 대신에 질물(시계)의 소유권을 취득하도록 하고 있기 때문입니다. 그럼 우리 민법에서는 왜 이런 규정을 두어, 마음대로 계약할 수 있는 자유를 제한하고 있는 것일까요?

몇몇 학설이 있지만, 제339조의 취지를 채무자 보호(약자 보호)에서 찾는 학자들이 많습니다. 위의 철수 사례에서처럼 채무자는 을의 위치에 있는 경우가 많다는 겁니다. 그렇기 때문에 소액의 채무로 인하여 상대적으로 고액의 물건을 질권자에게 맡기고, 결국에는 그 물건의 소유권을 뺏기는 문제가 발생할 수 있다는 것이지요.

예를 들어 극단적으로 생각하면, 고작 돈 몇만 원을 빌리려는 가난한 사람이 급한 대로 자신의 가보를 맡겼다가, 나중에는 그 가보의 소유권을 빼앗길 수도 있는 것입니다.

정리하자면, 아래의 요건을 모두 충족하는 계약은 제339조에 위반하여 무효가 됩니다(제339조는 강행규정). 참고로 여기서 '법률이 정한 방법'이란 우리가 어제 공부한 경매나 간이변제충당 등의 방법을 의미합니다(제338조).

1. 채무의 변제기 이전에 맺은 계약일 것
2. 계약의 내용이 변제를 대신하여 (질권자가) 질물의 소유권을 갖게 되거나, 법률에 정한 방법에 의하지 아니하고 질물을 처분할 수 있도록 하는 것인 경우

반대로 생각하면, 왠지 유질계약 같아 보이는 계약이더라도 위의 요건을 모두 만족시키지 않는다면, 그건 제339조가 적용되지 않으므로 유효한 계약이 됩니다.

예를 들어 나부자가 변제기가 지난 후(1년이 지난 후)에도 철수가 돈을 못 갚는 것을 보고, 철수와 상의하여 시계의 소유권을 갖는 것으로 했다면 그것은 제339조에 위반되지 않습니다. '변제기 전'의 계약이 아니라 '후'의 계약이니까요.

지금까지의 내용을 살펴보면 제339조의 규정이 정의롭고 그럴듯

해 보이기는 하지만, 학자들 중에는 제339조를 삭제하여야 한다고 주장하는 사람도 있습니다. 특히 채권관계에서 채무자는 '당연히' 약자로 취급하는 논리가 타당한지는 생각해볼 필요가 있으며, 제339조가 없더라도 채권자가 폭리행위를 저지르는 경우에는 민법 제103조나 제104조(민법 총칙 파트 참고)를 통해 규율할 수 있다는 의견이 있습니다(김성탁, 2018). 일단 학계에서는 이런 논의도 하는구나, 하고 재미로 알아 두시면 되겠습니다.

한편, 우리의 '상법'에서는 상행위로 인해 생긴 채권을 담보하는 질권에 대해서는 민법 제339조를 적용하지 않도록 하고 있는데(다시 말해 상법에서는 유질계약을 허용한다는 것), 아직 유리가 상법을 공부한 것은 아니므로, 예외가 있다는 점만 기억해 두시면 좋을 것입니다.

상법

제59조(유질계약의 허용) 민법 제339조의 규정은 상행위로 인하여 생긴 채권을 담보하기 위하여 설정한 질권에는 적용하지 아니한다.

오늘은 유질계약이라는 독특한 계약에 대해 공부하였습니다. 다만 앞서 말씀드렸듯 용어 자체는 좀 생소하고 일본 번역체의 느낌이 많이 나서, '질권 전 가계약'이나 '질권 떠넘김 계약' 같은 순화된 용어로 바꾸어야 한다는 의견이 있기도 합니다(강현철·곽관훈, 2004). 이런 표현들이 훨씬 더 잘 와닿는 측면이 있긴 합니다. 여러분도 어떤 용어가 좋을지, 심심할 때 생각해 보시기 바랍니다.

내일은 질물 이외의 재산으로부터의 변제에 관하여 살펴보도록 하겠습니다.

*참고문헌

강태성, "유담보계약", 한국민사법학회, 민사법학 제29호, 2005, 288-289면.

강현철·곽관훈, "한·일 민법전 법령용어와 문장의 비교 및 순화정비에 관한 연구", 한국법제연구원, 2004.11., 269-270면.

김성탁, "유질계약을 허용하는 상법 제59조의 해석방법론*- 대법원 2017. 7. 18. 선고, 2017다207499 판결 평석 및 관련 쟁점사항-", 법무부, 선진상사법률연구 통권 제83호, 2018.7., 4-6면.

제340조(질물 이외의 재산으로부터의 변제)

①질권자는 질물에 의하여 변제를 받지 못한 부분의 채권에 한하여 채무자의 다른 재산으로부터 변제를 받을 수 있다.
②전항의 규정은 질물보다 먼저 다른 재산에 관한 배당을 실시하는 경우에는 적용하지 아니한다. 그러나 다른 채권자는 질권자에게 그 배당금액의 공탁을 청구할 수 있다.

질권자는 앞서 우리가 공부했던 바와 같이 질권을 실행해서, 자신의 채권에 충당할 수 있습니다. 쉽게 생각하면 질물을 팔아서 그 돈으로, 자기가 빌려줬던 돈을 회수할 수 있다는 겁니다. 그런데 질물은 경매와 간이변제충당이라는 방법을 통하여 팔리게 되므로, 질권자의 기대와는 다르게 꼭 비싸게 팔리라는 법은 없습니다. 때에 따라서는 빌려준 돈이 100만원인데, 질권을 실행한 결과 40만원만(!) 돌려받을 수도 있는 것입니다.

제1항은 이처럼 질권자가 질권을 실행하였음에도 불구하고, 질물을 팔아치운 결과(이를 질물의 환가라고 합니다) 피담보채권을 모두 변제받지 못하는 경우에는 '변제를 받지 못한 부분'에 한해서 채무자의 다른 재산으로부터 변제를 받을 수 있다고 규정하고 있습니다. 이렇게만 읽으면 이해가 잘 안 가실 수 있으니까, 예를 들어 보도록 하겠습니다.

철수에게는 재산이 딱 2개 있습니다. 하나는 가문 대대로 물려받은 시계고, 다른 하나는 헤어진 여자친구에게 돌려받은 고급 반지입니다. 철수는 돈이 급해서, 나부자에게 100만원을 빌리고 시계에 질권을 설정하는 계약을 맺었습니다. 현재 고급 반지는 질권과는 상관없습니다.

그런데 철수는 약속한 기일 내에 100만원을 갚지 못했고, 이에 나부자(질권자)는 질권을 실행하여 철수의 시계를 경매로 넘겨 버렸습니다. 경매가 진행되어 낙찰이 되었는데, 60만원에 낙찰되었습니다(편의상 경매비용 등 다른 비용은 없는 것으로 가정하겠습니다). 이대로 가면 나부자는 40만원의 손해를 볼 것입니다.

바로 이런 경우, 나부자는 제340조제1항에 따라 '변제 받지 못한' 40만원에 대해서 철수의 다른 재산(반지)로부터 변제를 받을 수 있습니다. 즉 철수의 반지 역시 경매에 부치는 등의 방법으로 돈을 돌려받을 수 있다는 것이지요.

*사실 철수의 다른 재산(일반재산이라고도 부릅니다)에 대한 강제집행은 나부자라고 해도 그냥 막 할 수 있는 것은 아니고, 집행권원이라는 것이 필요합니다. 민사집행법의 분야까지 설명하기에는 분량의 한계가 있으므로 여기서는 집행권원이 있다고 가정하고 지나가도록 하겠습니다. 세부 내용은 민사집행법 교과서를 참조하시기 바랍니다.

이제 제2항 본문을 보겠습니다. 전항의 규정(제1항)은 질물보다 먼저 다른 재산에 관한 배당을 실시하는 경우에는 적용되지 않는다고 합니다. 이게 무슨 말일까요? 이해가 잘 안 가시더라도 당연한 것이, '배당'이라는 단어는 민법에서 처음 나오는 단어입니다.

배당이란, 경매에서 물건을 팔아서 생긴 돈을 채권자들에게 나누어 주는 것을 말합니다. 예를 들어 위의 사례에서 채무자는 철수, 채권자는 나부자인데, 시계를 팔아서 생긴 돈을 채권자인 나부자에게 주면 나부자는 배당을 받은 것이 됩니다.

이렇게만 생각하면 굉장히 단순한 절차이지만, 위의 사례와 다르게 채권자가 여러 명이 되면 굉장히 논의가 복잡해질 수 있습니다. 누구에게 '먼저' 줄 것인지, 누구에게 '얼마나' 줄 것인지를 정해야 하기 때문입니다.

이제 제2항 본문을 이해하기 위해 예를 들어 보도록 하겠습니다. 위의 사례에서, 사실 철수는 나부자 외에 소꿉친구인 영희에게서도 100만원을 빌렸다고 해봅시다. 다만, 영희에게 돈을 빌릴 때에는 따로 질권을 설정하고 그런 것 없이, 그냥 차용증을 써 주고 돈을 빌렸습니다. 영희는 질권자가 아니라 일반채권자인 셈입니다. 요약하면, 철수는 나부자에게 100만원, 영희에게 100만원을 빌렸고 총 2명에게 돈을 갚아야 하는 상황(철수의 채무 총 200만원)인 것입니다.

그런데 나부자에게 돈을 갚아야 하는 기일보다 영희에게 갚을 기일이 좀 더 빨랐고, 철수는 그 날짜가 지나도록 영희에게 돈을 갚지 못하고 말았습니다. 이에 영희는 돈을 갚으라는 소송(대여금청구소

송)을 걸어서 승소하였고, 철수의 재산인 반지에 대해서 강제집행을 하고 경매로 넘겨 버렸습니다. 이런 상황에서 나부자는 약간 초조해지기 시작합니다. 똑같이 100만원을 빌려줬는데, 영희는 벌써 거의 돈을 받아낼 수 있을 것 같거든요.

여기서 나부자가 떠올릴 수 있는 아이디어는, 영희가 제기한 경매에서 반지를 팔아 생긴 돈을 자기에게도 좀 나누어 달라고 하는 것입니다. 즉, 자기에게도 배당을 해주도록 요구하는 것이지요.

하지만 제340조제1항을 엄격하게 해석한다고 하면, 질권자는 질권을 행사해서 그 질물로부터 '변제를 받지 못한 부분'에 대해서만 채무자의 다른 재산(반지)에서 변제를 받을 수 있기 때문에, 일단 질권을 아직 행사하지 않은 지금 시점에서는 채무자의 다른 재산에 대한 자신의 몫을 주장할 수 없게 됩니다.

만약 이렇게 해석하면, 나부자 입장에서는 좀 억울할 수 있습니다. 질권을 먼저 행사하고 나서도 못 받은 돈이 있다면 자연스럽게 채무자의 다른 재산에서 돈을 회수할 수 있지만(제340조제1항), 순서가 바뀌어서 채무자의 다른 재산이 먼저 경매에 넘어가는 경우에는 손가락을 빨고 있어야 하는 상황이 되는 겁니다.

반지는 신경 쓰지 말고 가만히 있다가 질물인 시계를 경매에 넘겨서 그 대금을 받으면 되지 않느냐, 이렇게 생각할 수도 있습니다만, 시계를 팔아서 채권을 모두 회수할 수 있으리라는 보장이 없기 때문에(시계가 100만원 이상의 가격에 팔린다는 보장이 없음) 나부자로서는 지금 이 순간 무언가 대책을 세워야 하는 상황인 겁니다.

그래서 제340조제2항 본문에서는, 채무자의 다른 재산에 대한 배당이 '먼저' 실시되는 경우에는 제1항을 적용하지 않도록 하고 있는 것입니다. 따라서 나부자는 '질권을 행사했음에도 변제받지 못한 부분'(제1항)이 아니라, '자신이 가진 채권액 전부'(제2항 본문)을 가지고 배당에 참가할 수 있게 되는 것입니다. 즉, 100만원을 돌려받기 위해 (반지의) 배당에 참가하게 되는 것입니다. 배당에 참가하는 영희와 나부자가 모두 동순위의 일반채권자라고 하면, 반지가 100만원에 팔릴 경우 그 절반인 50만원씩을 1:1로 가져가게 될 것입니다.

이제 제2항 단서를 봅시다. 다른 채권자는 질권자에게 그 배당금액의 공탁을 청구할 수 있다고 정하고 있는데요, 이건 또 무슨 뜻일까요?

여기서 다른 채권자는 위의 사례에서는 영희겠지요. 질권자는 나부자고요. 제2항 본문에 따르면, 영희는 조금 억울할 수도 있습니다. 왜냐, 자기가 받는 배당이 줄어들기 때문입니다. 제340조제2항 본문의 규정이 없었다면, 나부자가 끼어들지 않았을 테고, 영희는 반지의 판매대금인 100만원을 모두 가져갈 수 있었을 겁니다. 하지만 나부자가 배당에 참가하는 바람에 배당받은 돈이 50만원으로 줄어든 거죠.

따라서 영희는 질권자인 나부자에게 이렇게 말할 수 있습니다.

"야, 나는 일반채권자일 뿐이지만, 너는 사실 질권도 있잖아. 나는 철수의 반지를 판 돈을 꼭 가져가야 한다. 그런데 네가 꼭 50만원이나 가져가야겠니? 질권 설정해 둔 철수의 시계를 경매로 넘겨서 거기서 돈을 받아가. 그러고 나서도 못 받은 돈이 있으면, 그때에는 반지 판 돈에서 가져가는 것을 용서해 줄게. 일단 네가 반지로부터 배당 받을 50만원을 은행 같은 곳에 맡겨 두고, 시계를 경매에 넘기고, 그 뒤에 상황을 보자. 응?"

이처럼 은행과 같은 특정한 기관에 금전 등을 맡겨 두는 것을 공탁(供託)이라고 합니다. 영희(다른 채권자)로부터 이와 같은 공탁 청구를 받은 나부자(질권자)는 자신이 받을 몫인 50만원을 자기 지갑에 넣을 수 없고, 일단 공탁을 하여야 합니다.

그리고 자신이 가진 질권을 실행해서 철수의 시계를 경매에 넘깁니다. 시계가 만약 60만원에 낙찰된다면, 나부자는 그제야 공탁을 해뒀던 50만원 중 40만원(시계를 팔고 나서도 못 받은 돈)을 찾아갈 수 있습니다. 그러고 나서 남는 10만원은 다시 영희에게 돌아가게 될 겁니다.

이렇게 하면 좋은 것이, 영희는 50만원보다 10만원 더 받을 수 있어 그래도 (전보다는) 좀 더 나은 상황이 되고, 나부자는 100만원을 모두 받을 수 있어 불만이 없게 됩니다. 서로의 이해관계를 조정하기 위한 방안인 것이지요.

오늘은 배당, 공탁, 다른 채권자와의 관계 등 조금은 복잡한 내용을 공부하였습니다. 배당이나 공탁 등의 개념에 대해서는 이해를 위해 단순하게 말씀드린 감이 있는데, 정확한 개념에 관해서는 민사집행법 교과서를 참고하여 주시면 감사하겠습니다.

*참고로, 제340조제1항을 둔 취지에 대해서 학설의 논란이 좀 있는데, 다수 견해는 동 조문이 일반채권자의 보호만을 목적으로 하는 것이고 채무자를 보호하는 규정은 아니라고 보고 있습니다. 그래서 제1항에 따라 질권자가 채무자의 일반재산에 대해 집행을 하는 경우, 일반채권자의 이의신청은 가능하지만 채무자는 불가능하다고 봅니다(박동진, 2022). 이 부분은 관심 있는 분들만 따로 교과서를 참조하기 바랍니다.

내일은 물상보증인의 구상권에 대해 살펴보도록 하겠습니다.

*참고문헌

박동진, 「물권법강의(제2판)」, 법문사, 2022, 425면.

제341조(물상보증인의 구상권)

타인의 채무를 담보하기 위한 질권설정자가 그 채무를 변제하거나 질권의 실행으로 인하여 질물의 소유권을 잃은 때에는 보증채무에 관한 규정에 의하여 채무자에 대한 구상권이 있다.

물상보증인은 민법 조문상으로는 오늘 처음 나오는 단어입니다만, 우리는 전에 이 단어에 대해서 한번 살펴본 바 있습니다. 제329조에서 언급한 적 있는데요, 한번 복습하고 오셔도 좋겠습니다.

물상보증인(物上保證人)이란, 단순하게 생각해 물건을 제공하여 보증을 서는 사람이라는 뜻입니다. 보증이라는 말은 지금까지 여러 차례 사용해 왔기 때문에 대략 어떤 의미인지는 감이 오실 겁니다.

엄밀하게는, "일반적으로 채무자에게 물적 담보로 제공할 재산이 없는 경우 제3자와 채권자와의 계약으로 제3자의 재산을 채무자의 채무에 대한 물적 담보로 제공하는 것"을 물상보증이라고 부르며, 이때의 제3자를 물상보증인이라고 합니다(조준현, 2016). 요점은 본인 것이 아니라 남의 채무를 위해 물건을 제공하는 사람이라는 점, 그리고 채권자와 담보권을 설정하는 계약을 체결하는 사람이라는 점입니다.

*참고로, '보증인'과 '물상보증인'은 다른 개념입니다. 양자는 비슷해 보이는 부분이 있으면서도 차이점이 있는데, 이에 대해서는 뒤에서 말씀

드리도록 하겠습니다. 일단 다르다는 것을 알고 지나갑시다.

예를 들어 보겠습니다. 철수는 사업을 해보려고 하는데 돈이 없습니다. 그래서 옆집의 나부자를 찾아가, 사업자금을 좀 빌려달라고 합니다. 나부자에게 철수는 생판 남이었으므로, 나부자는 그에게 "돈을 빌리고 싶다면 담보를 제공하라."라고 말합니다. 그러나 철수는 워낙 가난해서 담보로 제공할 만한 동산이나 부동산이 없었습니다.

좌절하던 철수는 고민하다가, 평소 자신을 좋아하던 영희를 찾아갔습니다. 그리고 영희에게 물상보증인이 되어 줄 것을 제안합니다. 잠시 망설이던 영희는 사랑하는 철수를 위해 집안 대대로 내려오는 금반지를 담보로 제공하기로 결심합니다.

그 결과, 나부자(채권자)와 영희(물상보증인)이 질권설정계약을 체결하고, 영희의 금반지(질물)에 질권을 설정한 후, 철수(채무자)는 나부자로부터 돈을 빌릴 수 있게 됩니다. 돈을 빌린 것은 철수지만, 담보를 제공한 것은 영희가 되어 법적 삼각관계(?)가 형성되는 것입니다.

자, 그런데 문제는 그 다음입니다. 자신을 좋아하는 영희의 마음을 이용한 나쁜 철수는, 해보려던 사업도 잘 안 되어 망하고 말았습니다. 당연히 약속된 기일까지 나부자에게 돈을 갚지 못했습니다. 이제 영희에게는 2가지 경우의 미래가 기다리고 있습니다. 하나는,

나부자가 질권을 실행하여 영희의 금반지를 경매에 넘긴 후 우선변제를 받고, 금반지는 다른 누군가의 소유가 되는 것입니다.

다른 하나는, 금반지를 잃어버리지 않기 위해 (열 받지만) 영희가 직접 철수의 빚을 갚아 주는 것입니다. 두 가지 경우 모두 나부자 입장에서는 (철수에게) 빌려주었던 돈을 받아낼 수 있기 때문에 만족스러운 결말입니다. 영희 입장에서는 금반지를 지켜내느냐, 누군가의 손에 넘어가느냐의 차이점이 있지만 어쨌건 손해를 본다는 점에서 불만족스러운 결말입니다.

이제 제341조를 읽어 봅시다. 위의 사례에 대입시켜 풀어 써보면 이렇습니다:

"타인(철수)의 채무를 담보하기 위한 질권설정자(영희)가 그 채무를 변제하거나(철수의 빚을 갚아주거나) 질권의 실행으로 인하여 질물(금반지)의 소유권을 잃어버린 경우에는 법률의 규정에 따라 채무자(철수)에 대한 구상권이 있다."

여기서 구상권이라는 말이 나옵니다. 구상권(求償權)이란, 다른 사람을 대신하여 채무를 변제한 사람이 그 사람에게 상환을 요구할 수 있는 권리를 말합니다. 한자를 대충 직역하면, '갚을 것을 요구하는 권리' 정도가 됩니다. 사실 위의 사례를 보면, 진짜 빚을 갚아야 하는 사람은 철수(채무자)인데, 정작 철수는 손가락만 빨고 있고 물상보증을 섰던 영희가 사실상 빚을 갚는 꼴입니다. 영희 입장에서는 금반지를 잃건 돈을 갚아주건 금전적 손실을 보기 때문에, 철수에게 당당히 자신의 손실을 갚아 줄 것을 요구할 수 있으며, 이러한 권리를 구상권이라고 하는 것입니다.

여기서 잠깐, 보증인의 개념에 대해 짚고 넘어갑시다. '보증인'은 뭐고 '물상보증인'과는 어떻게 다른 걸까요?

보증인이란, 채무자(주채무자)가 채무를 이행하지 아니하는 경우 대신하여 채무를 이행하는 사람을 뜻합니다. 따라서 위의 사례에서 만약 영희가 철수의 부탁을 받고 물상보증인이 아니라 보증인이 되었다면, 영희는 시계를 딱히 담보로 제공할 필요가 없습니다.

그러나 철수가 빚을 안 갚을 경우 영희가 대신해서 갚아야 합니다(위의 물상보증인 영희의 사례에서는 영희가 빚을 갚아주는 것은 선택사항이었습니다). 설명을 위해 단순하게 표현하면, 보증인은 빚을 어떻게든 갚을 것을 보증해 주는 사람이고, 물상보증인은 빚을 물건으로 갚을 것을 보증해 주는 사람이라고 생각하시면 되겠습니다. 채권자 입장에서는 중요한 차이인 것이, 전자는 사람을 믿고 돈을 빌려 주는 것이고, 후자는 물건의 가치를 믿고 돈을 빌려 주는 것이어서 나중에 채권 회수 가능성에 큰 영향을 미치기 때문입니다.

따라서 보증인의 경우 채무자가 채무를 불이행할 때 그 채무를 자기가 대신 이행해야 하므로, 100만원의 빚이 있으면 100만원을 다 갚아줘야 합니다. 하지만 물상보증인의 경우 미리 물건을 담보로 제공하므로, 그 물건의 한도 내에서만 빚을 (사실상) 갚아주게 됩니다. 예를 들어 100만원의 빚을 채무자가 못 갚는다 하더라도, 미리 담보로 제공한 금반지나 시계가 경매에서 80만원에 팔린다면 나머지 20만원에 대해서 물상보증인이 책임을 질 필요는 없습니다.

이를 법학에서는 이렇게 설명합니다. 물상보증인은 직접 채권자에게 채무를 부담하는 것은 아니며, 단지 담보로 제공한 물건에 대하여 물적 유한책임을 지게 된다고요. 반면, 보증인은 채권자에 대한 채무자이면서 자신의 일반재산으로 인적 무한책임을 진다고 표현합니다(이태종, 2019). 물상보증인과 보증인의 차이, 이제 이해가 되십니까?

자, 그럼 구상권에 대해 좀 더 알아보도록 합시다. 본래 구상권의 개념은 '보증인'에 대하여 적용되는 것입니다. 그런데 우리의 민법 제341조는 '보증채무에 관한 규정'에 의하여 물상보증인에게도 구상권을 인정해 주고 있습니다. 왜냐, 적어도 구상권에 관해서는 물상보증인도 보증인에 비슷한 지위에 있다고 보기 때문입니다.

보증채무에 관한 규정은 좀 더 나중에 나오는 것으로, 민법 제441조, 제444조부터 제447조까지(판례에 따르면 제442조는 제외), 제481조부터 제485조까지의 규정들을 의미합니다. 이 규정들은 보증인들에 관한 규정인데, 제341조는 이를 물상보증인에 준용하도록 하고 있는 것이죠. 아래에 조문을 몇 개만 소개합니다.

제441조(수탁보증인의 구상권) ①주채무자의 부탁으로 보증인이 된 자가 과실없이 변제 기타의 출재로 주채무를 소멸하게 한 때에는 주채무자에 대하여 구상권이 있다.
②제425조제2항의 규정은 전항의 경우에 준용한다.
제425조(출재채무자의 구상권)
②전항의 구상권은 면책된 날 이후의 법정이자 및 피할 수 없는 비용 기타 손해배상을 포함한다.
제442조(수탁보증인의 사전구상권) ①주채무자의 부탁으로 보증인이 된 자는 다음 각호의 경우에 주채무자에 대하여 미리 구상권을 행사할 수 있다.
제444조(부탁없는 보증인의 구상권) ①주채무자의 부탁없이 보증인이 된 자가 변제 기타 자기의 출재로 주채무를 소멸하게 한 때에는 주채무자는 그 당시에 이익을 받은 한도에서 배상하여야 한다.
②주채무자의 의사에 반하여 보증인이 된 자가 변제 기타 자기의 출재로 주채무를 소멸하게 한 때에는 주채무자는 현존이익의 한도에서 배상하여야 한다.
③전항의 경우에 주채무자가 구상한 날 이전에 상계원인이 있음을 주장한 때에는 그 상계로 소멸할 채권은 보증인에게 이전된다.
제481조(변제자의 법정대위) 변제할 정당한 이익이 있는 자는 변제로 당연히 채권자를 대위한다.

따라서 위 조문을 적용하면, 채무자의 부탁으로 물상보증인이 된 사람이 자기 재산을 들여 빚을 갚아 주는 경우에는 채무자에게 구상권이 있으며(제441조제1항), 갚아 준 날 이후의 법정이자, 피할 수 없는 비용, 그 밖에 손해배상도 포함해서 청구할 수 있습니다(제441조제2항, 제425조제2항).

반대로, 채무자의 부탁 없이 물상보증인이 된 경우, 물상보증인이 빚을 갚아 주었다면 그는 채무자가 이익을 받은 한도에서 구상할 수 있습니다(제444조제1항). 심지어 채무자의 의사에 반해서 물상보증인이 된 경우라면 채무자의 현존 이익의 한도에서 구상을 할 수 있습니다(제444조제2항).

또한, 물상보증인은 변제할 정당한 이익이 있는 자로서, 변제하게 되면 채권자를 대위하게 됩니다(제481조).

아직은 보증채무 파트를 공부하지 않아서 무슨 내용인지 감이 잘 안 오실 수도 있는데, 자세한 내용은 해당 파트에서 구체적으로 살펴볼 예정이니 지금은 그냥 그렇구나 하고 지나가셔도 됩니다.

*지금까지 우리가 예시로 든 것은 빚을 갚아주고 나서 나중에 상환을 청구하는 형태의, '사후구상권'인데요, 현재 보증인에게는 요건을 따라 빚을 갚아주기 전에 행사할 수 있는 '사전구상권'이 인정되고 있습니다(제442조). 하지만 우리의 판례는 물상보증인에 대해서는 사전구상권을 인정해주지 않고 있는데요(제442조 적용 부정), 이 내용은 보증채무와 보증인에 관한 공부가 선행될 필요가 있으므로 여기서는 별도

로 상세히 다루지 않고, 이 정도로만 언급하고 지나가도록 하겠습니다.

결국, 사랑에 상처 입은 영희는 금반지의 소유권을 잃어버리거나, 철수의 빚을 갚아준 후 자신이 입은 금전적 피해를 갚아 줄 것을 철수에게 청구할 수 있을 것입니다.

오늘은 물상보증인의 개념에 대해 알아보았습니다. 내일은 물상대위에 대해 공부하겠습니다.

*참고문헌

김용덕 편집대표, 「주석민법 물권3(제5판)」, 한국사법행정학회, 2019, 629-630면(이태종).

조준현, "물상보증인의 사전구상권 인정 여부", 전북대학교 법학연구소, 법학연구 제48집, 2016, 119면.

제342조(물상대위)

질권은 질물의 멸실, 훼손 또는 공용징수로 인하여 질권설정자가 받을 금전 기타 물건에 대하여도 이를 행사할 수 있다. 이 경우에는 그 지급 또는 인도전에 압류하여야 한다.

오늘도 낯선 단어가 나왔습니다. '물상대위'... 현실에서 이 단어를 써보신 적이 많지 않을 겁니다. 써봤다면, 아마 법조계에 이미 종사하고 있을 가능성이 높습니다. 물상대위(物上代位)라는 한자를 대충 읽어 보세요. 물건에 대하여(上) 어떤 무엇이 있는데, 그것이 자리·위치(位)가 바뀐다는(代) 것입니다.

학술적인 표현으로는, 물상대위란 담보물권의 목적물이 멸실, 훼손, 공용징수 등으로 인하여 "그 목적물을 대신(갈음)하게 된 금전 기타의 물건이 목적물 소유자에게 귀속되는 경우, 담보물권이 그 목적물을 대신(갈음)하는 것 위에 존속하는 것"을 의미합니다. 이것을 제342조에서 표현하고 있는 것입니다.

지금 상태로는 무슨 내용인지 복잡하니, 예를 들어 보겠습니다. 예시를 읽기 전에, 제342조를 한번 소리 내어 읽어 보시고 어떤 의미인지 스스로 생각해보시면 더 좋을 것입니다.

*공용징수의 의미에 대해서는 민법 총칙, 제187조에서 다룬 적이 있었으므로 별도로 언급하지는 않겠습니다.

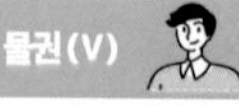

여기 철수가 있습니다. 이번에도 역시나 급전이 필요한 그는, 가보로 내려오는 금반지를 가져다 (역시나) 나부자를 찾아갑니다. 그리고 우리가 예상하던 대로, 나부자와 질권설정계약을 맺었다고 합시다. 철수는 100만원을 빌려서 사업에 썼습니다. 금반지는 질권의 특성대로 나부자가 점유하고 있는 상태입니다.

그런데, 나부자가 평소 나부자와 사이가 좋지 않던 김건달이라는 자가 나부자의 집에 쳐들어와 행패를 부리다가 그만 총을 발사해 버렸다고 합시다. 좀 극단적인 예이기는 하지만 의미만 이해하면 되니까 상관은 없습니다. 나부자는 다행히 총을 피했으나, 총탄이 철수의 금반지를 맞추고 그만 가루로 만들어 버렸습니다. 깔끔히 없어져 버린 것입니다.

이 경우, 살인미수나 총기 소유, 손괴죄 같은 형사법상의 문제는 제쳐 두고, 김건달은 남의 물건을 훼손하였으므로 금반지의 소유자인 철수에게 손해배상을 해야 합니다. 철수는 김건달에 대하여 불법행위에 기한 손해배상청구권을 갖게 됩니다.

여기서 당황스러운 사람은 나부자입니다. 철수는 자기 가보가 없어진 것이 충격이기는 해도, 어찌 되었든 김건달로부터 돈으로 받으면 됩니다. 하지만 나부자는 질물이 없어져 버렸기 때문에, 철수가 빚 100만원을 갚지 않는다고 해도 이를 담보할 수단이 없습니다.

바로 이런 경우, 민법 제342조에 의하면 나부자(질권자)는 훼손

으로 인하여 철수(질권설정자)가 받게 될 금전(손해배상금)에 대해서도 질권을 행사할 수 있다는 것입니다. 즉, 금반지라는 물건이 '손해배상금'으로 '대체'되었다(지위가 바뀌었다), 라는 겁니다. 이것을 모습만 바뀐 금반지라고 생각해서, 손해배상금에 대해서도 질권의 효력이 미치는 것으로 보자는 것입니다. 그래서 대위라는 표현을 쓰는 것입니다. 이와 같이 모습을 바꾼 금전이나 기타 물건을 '대위물'이라고 부르기도 합니다.

*다만, 제342조는 문장에서 주술의 호응이 조금 이상합니다. 그래서 "질권자는 질물의 멸실, 훼손 또는 공용징수(公用徵收)로 말미암아 질권설정자가 받을 금전이나 그 밖의 물건에 대하여도 질권을 행사할 수 있다."라고 표현을 바꾸어야 한다고 주장하는 학자도 있으니, 참고하시기 바랍니다(박동진, 2007).

따라서 나부자는 철수가 김건달로부터 받게 될 금전을 압류하여, '물상대위권을 행사'할 수 있습니다. 압류의 방법으로 하여야지, 나부자가 마음대로 김건달을 찾아가 그의 돈을 들고 나온다고 되는 것은 아닙니다.

*압류에 대하여는 공용징수와 마찬가지로 민법 총칙, 제168조에서 다룬 바가 있기 때문에 여기서는 별도로 언급하지 않도록 하겠습니다.

잠시 쉬어가는 김에 이런 생각을 한번 해봅시다. 위의 사례에서, 김건달이라는 사람에 대해서는 잠시 잊어버리도록 합시다. 만약 김건달이 아니라 나부자가 직접 금반지를 없애 버린 경우라면 어떨까요? 예를 들어, 나부자가 집에서 권총으로 사격 연습을 하다가 실수로 금반지를 날려 버린 경우라면요?

이런 경우라면, 질권자의 과실로 인하여 질물이 멸실, 훼손된 경우이므로 질권자가 '선량한 관리자의 주의 의무'를 다하지 못했다고 보고 물상대위를 인정해주지 않습니다(이태종, 2019). 나부자 잘못이니까, 자연스러운 귀결이라고 할 수 있겠습니다.

이제 제342조 단서를 봅시다. 여기서는 물상대위권을 행사하기 위해서 질권자가 대위물이 지급 또는 인도되기 '전에' 압류를 하여야 한다고 정하고 있습니다. 위의 사례에서 보자면, 김건달이 손해배상금을 철수에게 건네주기 전에 나부자가 압류를 해버려야 한다는 건데요, 굳이 왜 미리 압류를 해야 하는 걸까요?

그건 특정성의 문제 때문입니다. 쉽게 말해 보면, 일단 질권설정자가 대위물, 특히 금전(돈)을 받게 되면 질권설정자가 원래 가지고 있던 재산(일반재산이라고 부르기도 합니다)과 섞여 버릴 수 있기 때문이라는 겁니다.

예를 들어 철수가 김건달에게 받은 손해배상금을 자신의 금고에 넣어 버리면, 원래 철수의 금고 안에 들어 있던 현금과 뒤섞여서, 무엇이 김건달에게 받은 것인지 헷갈리게 된다는 겁니다.

"어찌 되었건 간에 같은 돈 아닙니까?"

이렇게 생각하실 수도 있지만, 현실적으로는 그래도 법학에서의 논리는 그렇지 않습니다. 만약 철수가 원래 가지고 있던 재산에 대해서까지 질권의 효력이 미친다고 해버리면, 질권이라는 제도의 취지에 맞지 않게 되어 버립니다.

질권이란 질권설정계약을 한 물건에 한정해서 유치적 효력과 우선변제적 효력을 인정하여 주는 것인데, 계약의 대상이 되지도 않은 물건에 대해서 우선변제적 효력 같은 것을 무제한으로, 범위의 제한 없이 인정해 줄 수는 없는 것입니다.

그래서 다른 물건과 섞여 버리기 전에 구분 지을 수 있게 미리 압류를 하여야 하는 것이고, 이처럼 제342조의 근거를 특정성에서 찾는 견해가 우리 학계의 다수설입니다.

우리의 판례 역시, "민법 제370조, 제342조 단서가 저당권자는 물상대위권을 행사하기 위하여 저당권설정자가 받을 금전 기타 물건의 지급 또는 인도 전에 압류하여야 한다고 규정한 것은 물상대위의 목적인 채권의 특정성을 유지하여 그 효력을 보전함과 동시에 제3자에게 불측의 손해를 입히지 않으려는 데 있는 것"이라고 하여 같은 입장입니다(대법원 2002. 10. 11. 선고 2002다33137 판결).

지금까지의 내용을 정리하자면, 아래의 3가지 요건을 충족하면 물상대위가 인정됩니다.

1. 질물의 멸실, 훼손, 공용징수가 발생하여야 한다.

말인즉슨 질물의 가치가 감소되는 사유가 발생하여야 한다는 것이죠. 벼락을 맞아 멸실될 수도 있고, 우리가 공부한 부합·혼화·가공 같은 사유로 없어지게 될 수도 있습니다.

다만, 물건에 여전히 질권을 실행할 수 있는 상태라면 굳이 물상대위를 인정할 필요는 없겠죠. 예를 들어 질물의 소유자가 바뀌는 정도라면, 소유자가 바뀌었어도 질권자는 질권을 주장할 수 있기 때문에 물상대위를 인정해주지 않아도 큰 문제가 없다고 볼 수 있겠습니다(이것을 법학에서는 추급이 가능한 경우라고 부르기도 합니다. 추급이 가능하면 물상대위는 굳이 인정할 필요 없다는 것이죠).

2. 질권설정자가 대신 받을 금전이나 그 밖의 물건이 있어야 한다.

주의할 것이 있습니다. '받은'이 아니라 '받을'이라는 겁니다. 이미 받은 게 아니라 장차 받게 될 돈(또는 물건)에 대해서 물상대위가 인정된다는 것인데요. 정확히 말하면 물상대위는 돈이나 물건 그 자체가 목적인 것이 아닙니다. 돈이나 물건에 대한 청구권(지급청구권 또는 인도청구권)이 바로 물상대위의 객체가 되는 것입니다.

3. 질권설정자가 금전이나 물건을 받기 전에 압류하여야 한다.

'받을' 돈이니까 이미 '받은' 돈이어서는 안 되겠죠. 위에서 살펴본 내용과 연결되어 있습니다. 그래서 받기 전에 압류를 해야 합니다.

다만 받기 전에 왜 굳이 압류라는 방법을 취해야만 하는가에 대해서는 학설의 논의가 좀 있는데, 다수설은 특정성을 근거로 설명하고 있다고 위에서 말씀드렸습니다.

만약 이미 질권설정자가 돈을 받아 버린다면, 질권자는 이제 물상대위권을 행사할 수는 없게 됩니다. 다만, 이러한 경우 대법원은 담보권 설정자가 얻게 된 이득을 부당이득으로 보아 담보권자에게 돌려주어야 한다는 논리를 구성하고 있는데요(대법원 2009. 5. 14. 선고 2008다17656 판결: 사안은 저당권에 관한 내용), 나중에 부당이득 파트를 공부하신 후 한번 읽어보시면 도움이 될 것입니다.

자, 우리는 지금까지 물상대위란 무엇인지 공부하였습니다. 그렇다면 이제는 왜 이런 제도가 존재하는가, 그 취지는 무엇인가 한번 생각해 볼까 합니다. 물상대위와 같은 제도는 왜 있는 걸까요?

우리 학계의 통설은 이렇게 봅니다. 담보물권은 (유치권을 제외하면) 우선변제권이 인정됩니다. 피담보채권을 회수하기 위해서 유사시(?)에는 물건을 처분해서 돈을 우선 받을 수 있는 권리라는 겁니다. 이러한 논리에 따르면, 그 물건의 가치가 다른 것으로 바뀌어 있다면, 그 바뀐 것에 대해서도 채권을 만족시킬 수 있도록 힘을 유지해줄 필요가 있습니다. 그것이 바로 물상대위인 것입니다.

물상대위는 이처럼 우선변제권과 밀접한 관련을 맺고 있다는 점에 유의하시기 바랍니다. 따라서 우선변제권이 인정되지 않는 유치권에는 물상대위도 인정되지 않지요.

그리고 이러한 논리에 따르면 물상대위는 질권에만 존재하는 것은 아니고, 우선변제권이 있는 담보물권이라면 자연스럽게 인정되어야 할 것입니다. 그래서 전세권이나 저당권에 대해서도 물상대위는 인정되고 있습니다.

오늘은 물상대위에 대해 알아보았습니다. 내일은 준용규정에 대해 공부하도록 하겠습니다.

*참고문헌

김용덕 편집대표, 「주석민법 물권3(제5판)」, 한국사법행정학회, 2019, 638면(이태종).

박동진, “알기 쉬운 민법 만들기”, 법무부, 2007.12., 46-47면.

제343조(준용규정)

제249조 내지 제251조, 제321조 내지 제325조의 규정은 동산질권에 준용한다.

오늘은 준용규정에 관한 내용입니다. 준용의 의미에 대해서는 여러 차례 다룬 적이 있기 때문에, 여기서 다시 언급하지는 않겠습니다. 일단, 제343조에서 준용된다고 열거한 규정들을 잠시 확인해 봅시다. 조문이 좀 기니까, 파트를 좀 나누어서 살펴보도록 하겠습니다.

1. 선의취득에 관한 규정의 준용

제249조(선의취득) 평온, 공연하게 동산을 양수한 자가 선의이며 과실없이 그 동산을 점유한 경우에는 양도인이 정당한 소유자가 아닌 때에도 즉시 그 동산의 소유권을 취득한다.
제250조(도품, 유실물에 대한 특례) 전조의 경우에 그 동산이 도품이나 유실물인 때에는 피해자 또는 유실자는 도난 또는 유실한 날로부터 2년내에 그 물건의 반환을 청구할 수 있다. 그러나 도품이나 유실물이 금전인 때에는 그러하지 아니하다.
제251조(도품, 유실물에 대한 특례) 양수인이 도품 또는 유실물을 경매나 공개시장에서 또는 동종류의 물건을 판매하는 상인에게서 선의로 매수한 때에는 피해자 또는 유실자는 양수인이 지급한 대가를 변상

하고 그 물건의 반환을 청구할 수 있다.

위의 제249조부터 제251조까지를 보시면, 우리가 이미 공부했던 선의취득에 관한 내용이라는 것을 알 수 있습니다. 평온, 공연, 선의, 무과실로 동산을 양수한 사람은, 그 물건을 넘겨준(양도한) 사람이 정당한 소유자가 아닌 경우에도 동산 소유권을 즉시 취득하고(제249조), 대신 도난당한 물건이나 잃어버린 물건 같은 경우에는 2년 이내에 물건의 반환을 청구할 수 있거나(제250조), 또는 양수인이 공개시장 등의 상인으로부터 물건을 선의매수한 경우에는 지급했던 대가를 변상받을 수 있도록 하는 특례를 두고 있습니다(제251조).

그렇다면, 이러한 조문들이 동산질권에 준용된다는 것은 무슨 의미일까요? 예를 들면 이런 겁니다.

철수에게는 아주 좋은 만년필이 있었는데, 영희가 그 만년필을 빌려다 쓰고 있었습니다. 만년필을 쓰는 대가로 영희는 철수에게 약간의 사용료를 주고 있었지요.

그런데 영희는 갑자기 돈이 좀 필요해졌고, 나쁜 마음을 먹고 철수의 만년필을 자기 것처럼 속여 나부자에게 질권을 설정해주고 만년필을 인도한 후, 돈을 빌렸습니다. 이러한 경우, 나부자는 적법한 질권자가 될 수 있을까요?

요건을 갖추면 가능하다는 것이 제343조의 태도입니다. 즉, 나부자가 영희가 사실 무권리자라는 사정을 몰랐고(선의), 그걸 몰랐다는 것에 과실이 없으며(무과실), 폭력과 같은 방법으로 만년필을 영희에게 빼앗은 것도 아니고(평온), 아무도 모르게 만년필을 점유한 것도 아니라면(공연), 나부자는 질권을 선의취득합니다.

다만, 우리 판례는 "민법 제330조, 제343조, 제249조에 의하면 동산질권을 선의취득하기 위하여는 질권자가 평온, 공연하게 선의이며 과실없이 질권의 목적 동산을 취득하여야 하고 그 취득자의 선의 무과실은 동산질권자가 입증하여야 한다"라고 하여, 선의나 무과실 같은 요건은 나부자가 입증하여야 한다고 보고 있으니 참고하시기 바랍니다(대법원 1981. 12. 22. 선고 80다2910 판결).

문제는 물건의 진짜 소유자(철수) 입장에서는 자기가 알지도 못하는 사이에 선의취득으로 인하여 자기 소유의 물건에 질권이 설정되어 버리는 결과가 되는 것인데요, 안타깝기는 하지만 이런 경우 진짜 소유자는 우리가 어제 공부한 물상보증인과 같은 지위에 있다고 해석되어, 제341조(물상보증인의 구상권)가 적용된다고 합니다(지원림, 2013). 왜 물상보증인과 같은 취급을 받게 되는 것인지, 어제 공부한 부분을 복습해 보면서 한번 생각해 보시기 바랍니다.

2. 유치권에 관한 규정의 준용

제321조(유치권의 불가분성) 유치권자는 채권전부의 변제를 받을 때까지 유치물전부에 대하여 그 권리를 행사할 수 있다.

제322조(경매, 간이변제충당) ①유치권자는 채권의 변제를 받기 위하여 유치물을 경매할 수 있다.

②정당한 이유있는 때에는 유치권자는 감정인의 평가에 의하여 유치물로 직접 변제에 충당할 것을 법원에 청구할 수 있다. 이 경우에는 유치권자는 미리 채무자에게 통지하여야 한다.

제323조(과실수취권) ①유치권자는 유치물의 과실을 수취하여 다른 채권보다 먼저 그 채권의 변제에 충당할 수 있다. 그러나 과실이 금전이 아닌 때에는 경매하여야 한다.

②과실은 먼저 채권의 이자에 충당하고 그 잉여가 있으면 원본에 충당한다.

제324조(유치권자의 선관의무) ①유치권자는 선량한 관리자의 주의로 유치물을 점유하여야 한다.

②유치권자는 채무자의 승낙없이 유치물의 사용, 대여 또는 담보제공을 하지 못한다. 그러나 유치물의 보존에 필요한 사용은 그러하지 아니하다.

③유치권자가 전2항의 규정에 위반한 때에는 채무자는 유치권의 소멸을 청구할 수 있다.

제325조(유치권자의 상환청구권) ①유치권자가 유치물에 관하여 필요비를 지출한 때에는 소유자에게 그 상환을 청구할 수 있다.

②유치권자가 유치물에 관하여 유익비를 지출한 때에는 그 가액의 증가가 현존한 경우에 한하여 소유자의 선택에 좇아 그 지출한 금액이나 증가액의 상환을 청구할 수 있다. 그러나 법원은 소유자의 청구에 의하여 상당한 상환기간을 허여할 수 있다.

제343조에 따르면, 위의 조문들(제321조부터 제325조까지)을 준용하도록 하고 있습니다. 우리는 유치권의 불가분성(제321조), 유치권에 따른 경매와 간이변제충당(제322조), 유치권자의 과실수취권(제323조), 유치권자의 선관의무(제324조), 유치권자의 상환청구권(제325조)에 대해 공부한 바 있었지요.

따라서 질권자는 (피담보)채권 전부의 변제를 받을 때까지 '질물 전부'에 대하여 질권을 행사할 수 있습니다(제321조 준용). 이것을 우리는 불가분성이라고도 불렀지요. 특히 우리는 제334조에서 질권이 원본뿐 아니라 이자, 위약금, 질권실행비용, 질권보존비용, 채무불이행과 질물의 하자로 인한 손해배상채권까지 담보한다고 배웠으므로, 이러한 채권 중 일부라도 남은 경우 불가분성에 따라 질권자는 질물 전체에 대해서 질권을 행사할 수 있을 것입니다(박동진, 2022).

채권 변제를 위해서 질권자는 질물의 경매나 간이변제충당을 할 수 있고(제322조 준용), 질물로부터 질권자는 과실을 수취해서 자신의 채권(피담보채권)에 충당할 수도 있습니다(제323조 준용). 여기서 과실수취권은 과실의 소유권을 직접 취득하는 것이 아니라 질권을 취득하게 되는 것으로 해석해야 할 것입니다. 제323조에서 살펴본 내용을 참조하시기 바랍니다.

또한, 질권자는 자신이 점유하고 있는 질물을 선량한 관리자의 주의로 보살펴야(?) 하고, 만약 그렇지 않을 경우 채무자는 질권의 소멸을 청구할 수도 있습니다(제324조 준용). 마지막으로 질권자는 질물을 점유하면서 필요비를 지출한 경우에는 질물의 소유자에게 필요비상환청구권을 갖고, 유익비를 지출한 경우에는 그 가액의 증가가 현존하는 경우에 한해서 유익비상환청구권을 행사할 수 있습니다(제325조 준용).

*다만, 우리 민법 제338조에서는 이미 질권에서의 경매와 간이변제충당에 대해서 별도로 규정하고 있으므로, 위 제343조에서 제322조를 준용하고 있는 부분은 불필요하여 삭제하여야 한다는 의견도 있습니다. 오히려 질권도 점유를 수반하기 때문에 유치권에서의 소멸시효에 관한 규정(제326조)을 준용규정에 추가해야 한다는 의견도 있지요(이태종, 2019). 참고하시기 바랍니다.

3. 승낙전질의 근거규정

우리 학계의 통설은 제43조에서 제324조제2항을 준용하고 있는 것을 근거로 승낙전질을 인정하고 있다고 해석합니다. 자세한 내용은 제336조를 참조하여 주시기 바랍니다.

이처럼 우리 민법은 질권이 유치권에서의 유치적 효력을 거의 동일하게 가져가도록 규정하고 있다는 것을 알 수 있습니다. 둘 다 담보물권이면서 점유를 수반하는 물권이기에 비슷한 점이 있다고 하겠습니다.

오늘은 준용규정에 대해 알아보았습니다. 내일은 다른 법률에 의하여 설정된 질권에 대해 공부하도록 하겠습니다.

*참고문헌

김용덕 편집대표, 「주석민법 물권3(제5판)」, 한국사법행정학회, 2019, 643-644면(이태종).

박동진, 「물권법강의(제2판)」, 법문사, 2022, 423면.

지원림, 「민법강의(제11판)」, 홍문사, 2013, 737면.

제344조(타법률에 의한 질권)

본절의 규정은 다른 법률의 규정에 의하여 설정된 질권에 준용한다.

제334조는 우리가 지금까지 공부한 동산질권에 관한 규정들이 다른 법률에 따라 설정되는 질권에서도 준용된다고 정하고 있습니다. 사실 우리가 공부하는 민법은 사법(私法)의 기본적인 법률이자 일반법이기 때문에, 제344조와 같은 규정을 딱히 두지 않는다고 하더라도 다른 형태의 질권에 준용되는 데에는 별 문제가 없기는 합니다. 제344조는 어찌 보면 당연한 말을 하는 것이지요.

그런데 '다른 법률의 규정에 의하여 설정된 질권'이란 어떤 것일까요? 예를 들어서 우리의 「상법」은 다음과 같은 규정을 두고 있어, 상사질, 주식의 입질 등을 규정하고 있습니다.

상법

제59조(유질계약의 허용) 민법 제339조의 규정은 상행위로 인하여 생긴 채권을 담보하기 위하여 설정한 질권에는 적용하지 아니한다.

제338조(주식의 입질) ①주식을 질권의 목적으로 하는 때에는 주권을 질권자에게 교부하여야 한다.

②질권자는 계속하여 주권을 점유하지 아니하면 그 질권으로써 제삼자에게 대항하지 못한다.

또한, 「특허법」에서는 특허권을 목적으로 하는 질권에 대하여 규정하고 있고, 「상표법」에서는 상표권의 입질에 대해 규정하고 있는 등, 민법 외의 여러 법률에서 다양한 형태의 질권에 대해 규정하고 있습니다. 하지만, 기본적으로는 민법의 규정이 준용된다는 것이지요.

특허법

제121조(질권) 특허권·전용실시권 또는 통상실시권을 목적으로 하는 질권을 설정하였을 때에는 질권자는 계약으로 특별히 정한 경우를 제외하고는 해당 특허발명을 실시할 수 없다.

상표법

제104조(질권) 상표권·전용사용권 또는 통상사용권을 목적으로 하는 질권을 설정하였을 경우에는 질권자는 해당 등록상표를 사용할 수 없다.

드디어 동산질권에 관한 절이 끝났습니다. 다음 권부터는 질권의 또 다른 형태, 권리질권에 대해 살펴보겠습니다.